VOCABULAIRE
DU
LOGICIEL

BIBLIOTHÈQUE ADMINISTRATIVE
Ministère des Communications du Québec
Éléments de catalogage avant publication

Boivin, Gilles.

Vocabulaire du logiciel: vocabulaire anglais - français/ Gilles Boivin, Diane Duquet-Picard; [préparé à la Direction des services linguistiques de l'Office de la langue française].—— [Nouv. éd.].—— Québec: Publications du Québec, 1991.

(Cahiers de l'Office de la langue française)

«Terminologie technique et industrielle».
ISBN 2-551-14550-3.

1. Logiciels - Dictionnaires 2. Logiciels - Dictionnaires anglais 3. Français (Langue) — Dictionnaires anglais 4. Anglais (Langue) — Dictionnaires français I. Duquet-Picard, Diane. II. Québec (Province), Office de la langue française. Direction des services linguistiques, III. Titre. IV. Collection.

All L3 C33

VOCABULAIRE
DU
LOGICIEL

Terminologie technique et industrielle

Vocabulaire anglais-français

Gilles Boivin   Diane Duquet-Picard

Québec

Ce vocabulaire a été préparé à la
Direction des services linguistiques
de l'Office de la langue française.

Cette édition a été produite par
Les Publications du Québec
1279, boul. Charest Ouest
Québec (Québec)
G1N 4K7

Comité de référence

Stella Abensur
Planificatrice, Services linguistiques
IBM Canada ltée

Robert Cusson
Coordonnateur de la sécurité
informatique
Ministère des Communications

Claude Richaud
Président
SOCATRA inc.

Personnes-ressources

Jean Baudot
Professeur titulaire
Département de linguistique
Université de Montréal

François Faguy
Directeur général
Système informatique D ltée

Bernard Moulin
Professeur agrégé
Département d'informatique
Université Laval

Nadia Thalmann
Professeure agrégée
École des hautes études
commerciales

Conception graphique de la couverture:
Le Groupe Icone

Le contenu de cette publication est
également diffusé, sous diverses formes,
par le réseau public de la Banque
de terminologie du Québec.

Premier tirage: 1991

Dépôt légal — 1er trimestre 1991
Bibliothèque nationale du Québec
Bibliothèque nationale du Canada
ISBN 2-551-14550-3

Préface

À l'ère des technologies nouvelles et de la présence de plus en plus visible de la micro-informatique à l'école, au travail et dans les foyers, la réédition du *Vocabulaire du logiciel* témoigne de la volonté de l'Office de la langue française et de ses partenaires de poursuivre l'effort de francisation dans ce domaine de l'activité humaine.

À cette époque que d'aucuns se plaisent à qualifier d'époque de la modernité, la valeur d'écrits de la nature de ce vocabulaire demeure intacte en tant que reflet du développement culturel et économique de notre communauté qui vit une phase intense de mutations technologiques.

Comme le logiciel est à l'ordinateur ce que la parole est à l'individu, les termes français que nous utilisons pour parler de logiciel, qu'il soit d'exploitation ou d'application, nous sont nécessaires pour nous identifier collectivement, même au-delà du Québec, au sein donc de toute la francophonie internationale, consciente qu'elle est du rôle de chef de file et de plaque tournante terminologique que le Québec joue entre le monde nord-américain anglophone et les autres pays de la francophonie.

C'est pourquoi nous sommes assuré que les concepteurs de logiciel, les distributeurs, les consultants, les spécialistes et, enfin, les utilisateurs de logiciel poursuivront le défi, toujours actuel, de faire du français un outil d'expression de leur créativité.

Souhaitons que cette production de l'Office de la langue française continue d'être une source de référence utile pour ceux et celles qui ont à cœur de réussir l'informatique en français.

Le directeur des services linguistiques,
Jean-Marie Fortin

Introduction

Devant le succès qu'a connu le *Vocabulaire du logiciel* paru en 1987, nous avons profité de sa réédition pour y apporter certaines modifications. L'évolution rapide du domaine de l'informatique et de ses différentes applications nous a incités d'une part à intégrer quelques notions nouvelles, et d'autre part à apporter certaines précisions à d'autres déjà traitées, ce qui permettra de rendre encore plus actuel le contenu du *Vocabulaire du logiciel.*

Autrefois réservée à un certain nombre d'initiés, tant par sa technologie que par son langage quasi hermétique, l'informatique est plus que jamais à la portée de tous depuis que le micro-ordinateur s'achète aussi facilement que n'importe quel appareil électroménager. Toutefois, si la terminologie française relative au matériel informatique semble en bonne voie d'implantation, il est plus difficile, compte tenu de son caractère abstrait, d'en dire autant de la terminologie du logiciel. C'est pourquoi, en publiant le présent *Vocabulaire du logiciel*, l'Office de la langue française veut rendre accessible une terminologie française du logiciel, une terminologie par ailleurs déjà utilisée de façon éparse dans les manuels et revues spécialisés de même que par un nombre de plus en plus grand de professionnels des deux côtés de l'Atlantique.

Cette publication a été conçue selon la tradition de la recherche terminologique pratiquée à l'Office, c'est-à-dire en collaboration avec les membres du comité de référence, et un certain nombre de personnes-ressources représentatives de leur milieu et de leur spécialité (voir la liste en début d'ouvrage). Les termes qui y sont répertoriés ont été, à quelques exceptions près (le *logiciel glouton*, par exemple), relevés dans une documentation technique d'expression française — en provenance de la France, du Québec, de la Belgique ou de la Suisse conformément aux règles de l'art en terminologie. On constatera que nous avons reconnu pour certains termes l'existence d'un assez grand nombre de synonymes (dans les cas d'une trop grande profusion de synonymes, ceux que nous n'avons pas retenus pour la publication ont été conservés dans les fichiers de la Banque de terminologie du Québec), caractéristique qui est propre à l'élaboration des terminologies des technologies nouvelles.

Les technologies et bien sûr la terminologie de l'informatique sont nées dans les pays anglo-saxons et, dans les pays francophones, il y a eu soit emprunt d'une partie de celle-ci à l'anglais, soit création d'une terminologie d'appoint pour servir d'équivalent et remplacer la terminologie étrangère. Une telle terminologie se forme au fur et à mesure que surgissent les besoins d'expression dans la langue emprunteuse (rédaction, traduction, interprétation, enseignement, etc.). Aussi, lorsqu'il y a eu création d'un équivalent en français, on peut s'imaginer qu'il n'a pas été possible de le diffuser immédiatement à toute la communauté scientifique ce qui explique qu'on trouve, dans certains cas, pour une seule et même notion, un certain nombre d'équivalents français acceptables qui vivent en parallèle. Le défi de ce travail terminologique a consisté à identifier le terme qui a une longueur d'avance sur les autres, celui qui est, d'une part, le plus utilisé en général et, d'autre part, le plus attesté dans la documentation spécialisée, mais aussi celui qui correspond le mieux aux règles de formation lexicale propres au français. Ainsi, l'entrée française doit être considérée comme privilégiée par rapport aux synonymes que nous avons jugés pertinents d'être retenus eux aussi. Le défi a donc été cependant de laisser, en dernier ressort, les usagers eux-mêmes trancher quant à la survie de certains termes.

De plus, nous avons parfois rencontré des cas où il y a deux synonymes français disponibles qui sont utilisés chacun exclusivement dans des communautés linguistiques géographiquement distinctes. Pour ces cas de parallélisme terminologique, nous en sommes venus à la conclusion qu'il n'y a pas de solution unique et que chacun doit faire l'objet d'une étude particulière qui détermine la décision à prendre. C'est ainsi, par exemple, que nous avons privilégié un terme comme *babillard électronique*, typiquement québécois, que nous avons adopté la solution française *spoule* et que nous nous sommes alignés sur l'usage international de tableur, utilisé parallèlement au Québec avec le terme *chiffrier* propre au domaine de la comptabilité.

Le *Vocabulaire du logiciel* n'est pas la première publication de l'Office de la langue française dans le domaine de l'informatique. À cet égard, dans les cas où un terme devant faire partie de la terminologie du logiciel avait déjà été traité par d'autres groupes de travail (par exemple, le comité interentreprises de la bureautique et le groupe de travail en micro-informatique), dans une optique qui nous permettait de préserver l'homogénéité de notre vocabulaire, nous en avons tenu compte et, à l'occasion, nous avons adopté la définition déjà formulée par l'un ou l'autre de ces comités (articles 22 et 572) ; qu'il nous soit ici permis de les remercier de leur collaboration. D'autre part, un terme appartenant au domaine du logiciel ayant, par le passé, fait l'objet d'une normalisation par l'Office de la langue française a été repris dans notre vocabulaire avec la même définition et son statut de terme normalisé est mentionné en note (article 96).

Signalons aussi que le présent vocabulaire a un lien à la fois passif et actif avec l'informatique: il traite de l'informatique tout en ayant été traité par l'informatique. En effet, pendant toute l'élaboration du *Vocabulaire du logiciel*, terminologie et technologie de l'informatique ont été étroitement associées; tant la « grosse » informatique que la micro-informatique ont été mises à contribution dans le traitement des données terminologiques par des programmes de la Banque de terminologie du Québec (B.T.Q.), ce qui nous a permis en outre de rendre toutes les fiches accessibles aux abonnés de la B.T.Q. Nous avons essayé de mettre au point des méthodes qui nous permettaient de converser avec la machine au moyen d'un poste de travail informatique, comme le feront de plus en plus les terminologues. C'est aussi grâce au programme de publication de la banque que les données inscrites et stockées en mémoire d'ordinateur dans les nombreux champs de la fiche terminologique informatisée ont pu être traitées et présentées sous forme de vocabulaire.

De toute évidence, le *Vocabulaire du logiciel* ne peut prétendre à l'exhaustivité. Nous croyons, cependant, que les quelque 300 notions qui y sont répertoriées devraient permettre de répondre aux besoins terminologiques les plus courants d'un grand nombre d'utilisateurs professionnels et amateurs.

En dernier lieu, nous tenons à remercier vivement tous les collaborateurs et collaboratrices, membres du comité de référence, personnes-ressources ou collègues de travail qui ont participé à cette publication et en particulier, nous désirons souligner la contribution de Mme Tina Célestin qui a assuré l'encadrement scientifique des travaux et de M. Normand Côte qui a supervisé la réédition du *Vocabulaire du logiciel*.

Les auteurs

Abréviations et remarques liminaires

abrév.	abréviation
adj.	adjectif
loc.	locution
n.	nom
n. f.	nom féminin
n. f. pl.	nom féminin pluriel
n. m.	nom masculin
n. m. pl.	nom masculin pluriel
syn.	synonyme
v.	verbe
v. a.	voir aussi
v. o.	variante orthographique

1. Présentation des articles

a) La nomenclature est présentée dans l'ordre alphabétique des termes anglais. Chaque entrée est précédée d'un numéro d'article. Il en va de même pour chacune des sous-entrées anglaises (synonymes, abréviations et variantes orthographiques) qui sont reprises dans la nomenclature et renvoient au terme principal de l'article dans lequel elles sont traitées. Ainsi la mention **syn. de**, dans *data directory*, syn. de *data dictionary*, sert de renvoi à l'article *data dictionary* où *data directory* est une sous-entrée synonyme.

b) Les termes français sont traités sous l'entrée principale anglaise. Chaque article terminologique comprend, pour le français, le terme vedette suivi d'un indicatif de grammaire et accompagné d'une définition. Le cas échéant, des variantes orthographiques, des synonymes, des abréviations, des termes à éviter et des notes explicatives viennent compléter les articles.

c) Les sous-entrées anglaises et françaises de même nature (synonymes, termes à éviter, etc.) sont séparées par un point-virgule.

d) La mention **v. a.** (voir aussi) renvoie à un terme connexe suivi de son numéro d'article entre parenthèses.

e) Le signe □ sert à présenter un ou plusieurs domaines spécifiques.

2. Bibliographie

Le vocabulaire proprement dit est suivi d'une bibliographie qui présente tous les documents pertinents utilisés lors du traitement terminologique des données. Elle signale également les rééditions de certains ouvrages parus depuis 1986 et les ouvrages récents qui ont été utilisés pour la présente édition.

3. Index français

À la fin de l'ouvrage, après la bibliographie, un index des termes français reprend toutes les entrées françaises accompagnées du numéro de l'article où elles sont traitées. Les termes à éviter sont inscrits en italique et les termes mentionnés en notes sont identifiés à l'aide d'un renvoi numérique entre parenthèses.

Arbre du domaine de l'informatique

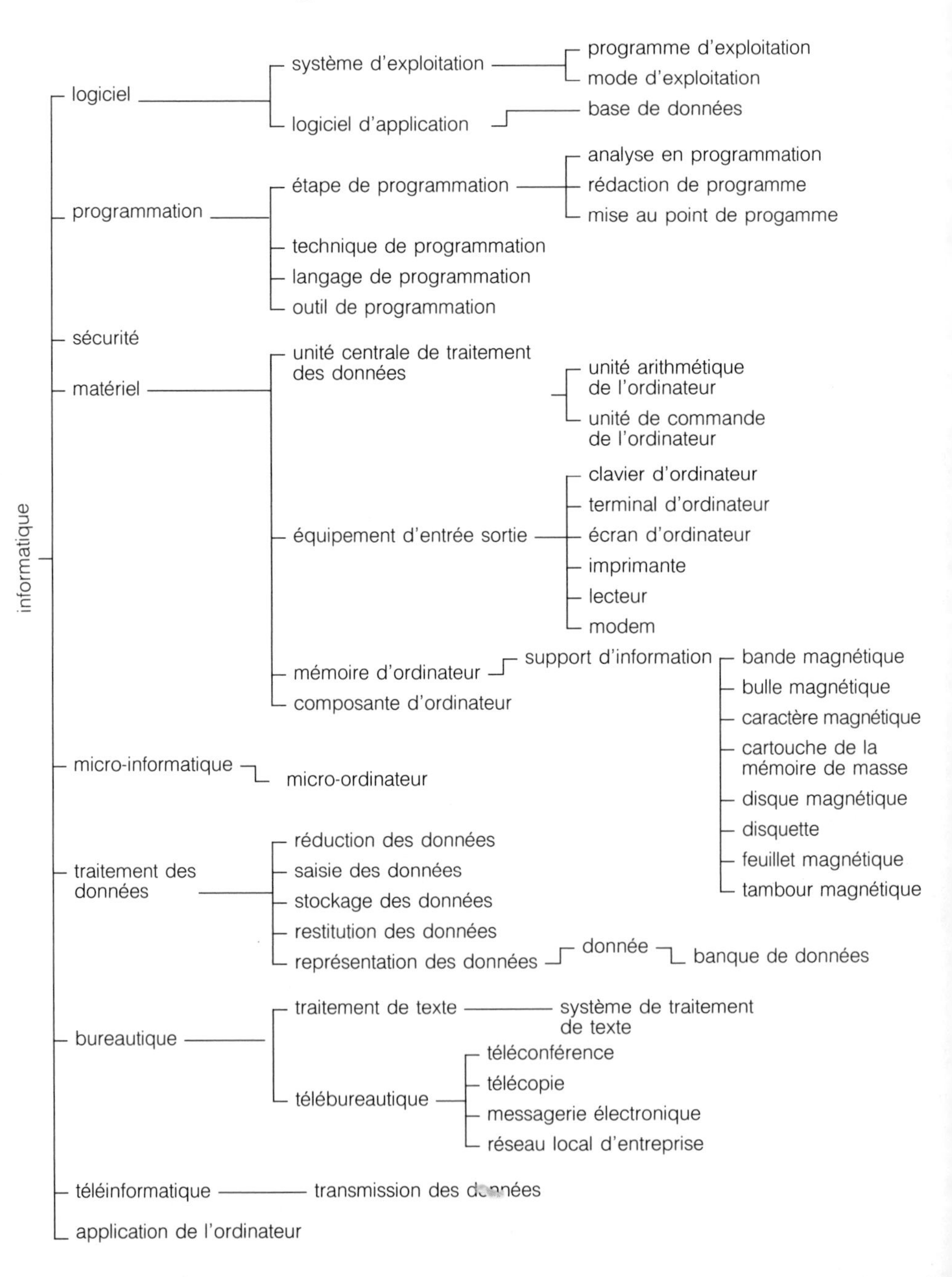

Vocabulaire

A

1. *ABEND*
Abrév. de *abnormal end*

2. *abend*
Abrév. de *abnormal end*

3. *abnormal end*
Abrév. *ABEND;*
abend;
abnormal end of task;
abnormal termination
fin anormale n. f.;
fin anormale de tâche n. f.
Interruption ou abandon d'un programme en cours de traitement pour une cause anormale telle une erreur de programmation ou une erreur dans les données traitées par ce programme.
□ mode d'exploitation

4. *abnormal end of task*
Syn. de *abnormal end*

5. *abnormal termination*
Syn. de *abnormal end*

6. *abort*
abandon n. m.;
arrêt prématuré n. m.
Terme à éviter: abort
Arrêt prématuré de l'exécution d'un programme, causé par l'apparition d'erreurs, de pannes ou de phénomènes imprévisibles ne pouvant pas être corrigés sur-le-champ.
□ mode d'exploitation

7. *absolute loader*
chargeur absolu n. m.
Programme de chargement capable d'amener les instructions d'un programme à leur adresse absolue en mémoire.
□ système d'exploitation

8. *abstract machine*
Syn. de *virtual machine*

9. *access*
accès n. m.
Moyen permettant d'atteindre un emplacement contenant des informations en mémoire principale ou auxiliaire.
Note. — L'accès définit la méthode de recherche des données (accès séquentiel, accès direct).
□ mode d'exploitation

10. *access control;*
access management
contrôle des accès n. m.;
contrôle d'accès n. m.;
gestion d'accès n. f.;
gestion des accès n. f.
Ensemble d'opérations programmées permettant de limiter l'accès à un système informatique ou aux données qui y sont stockées aux seuls utilisateurs autorisés.
□ mode d'exploitation; sécurité

11. *access grant*
Syn. de *access permission*

12. *access management*
Syn. de *access control*

13. *access method;*
access mode
méthode d'accès n. f.;
mode d'accès n. m.
Technique utilisée pour réaliser les accès à l'information en fonction du support

physique, de la structure des données et du mode de transmission.
□ mode d'exploitation

14. *access mode*
Syn. de *access method*

15. *access permission;*
access grant
autorisation d'accès n. f.
Permission autorisant l'accès d'un système informatique à un utilisateur.
□ sécurité; système d'exploitation

16. *activation*
lancement n. m.
Fonction d'un système d'exploitation qui consiste à amorcer l'exécution d'un programme.
□ logiciel

17. *AI*
Abrév. de *artificial intelligence*

18. *allocate, to;*
assign, to
attribuer v.;
allouer v.;
affecter v.
Procurer des ressources à un travail ou à une tâche par le biais du superviseur.
□ programme d'exploitation

19. *application development system*
progiciel de développement n. m.;
progiciel de développement de programme n. m.
Ensemble de logiciels conçus pour faciliter le développement, la programmation et la mise au point de systèmes d'exploitation et de logiciels d'application.
□ logiciel d'application; outil de programmation

20. *application generator;*
generator
générateur d'application n. m.
Ensemble de progiciels conçus pour faciliter le développement de programmes ou de sous-programmes d'application et comprenant, entre autres, un générateur d'écran, les fonctions nécessaires au traitement et à la mise en forme des données.
□ logiciel d'application

21. *application program;*
specific program;
specific routine
programme d'application n. m.;
programme spécifique n. m.
Programme conçu et rédigé pour traiter un ensemble spécifique de tâches ou de problèmes.
Note. — Diffère de *progiciel* qui est commercialisé et de *programme utilisateur* qui est rédigé par l'utilisateur lui-même.
V. a. **progiciel** (478); **programme utilisateur** (555)
□ logiciel d'application

22. *applications software*
logiciel d'application n. m.
Ensemble des programmes nécessaires à l'exploitation d'un système faisant appel à des fonctions adaptées aux besoins particuliers de l'utilisateur.
□ logiciel d'application

23. *arithmetic check;*
arithmetical check;
mathematical check
contrôle arithmétique n. m.;
contrôle mathématique n. m.
Contrôle fondé sur des propriétés mathématiques et utilisé pour vérifier le bon fonctionnement des circuits arithmétiques d'un ordinateur.
□ système d'exploitation

24. *arithmetical check*
Syn. de *arithmetic check*

25. *artificial intelligence*
Abrév. *AI*
intelligence artificielle n. f.
Ensemble de techniques utilisées pour essayer de réaliser des systèmes informatiques ayant une capacité de raisonnement proche de la pensée humaine et capables d'apprentissage.
□ logiciel; mode d'exploitation

26. *assembler;*
assembly program;
assembly routine;
assembler program;
assembler routine
assembleur n. m.;
programme assembleur n. m.;
programme d'assemblage n. m.
Programme qui convertit un programme source rédigé en langage symbolique en un programme objet et qui regroupe par la suite les différentes parties du programme objet.
□ langage de programmation; programme d'exploitation

27. *assembler program*
Syn. de *assembler*

28. *assembler routine*
Syn. de *assembler*

29. *assembly program*
Syn. de *assembler*

30. *assembly routine*
Syn. de *assembler*

31. *assign, to*
Syn. de *allocate, to*

32. *asynchronous mode*
mode asynchrone n. m.
Mode de fonctionnement d'un ordinateur dont les différents organes fonctionnent indépendamment de tout rythme unique imposé par une horloge.
□ mode d'exploitation

33. *average delay*
temps moyen d'attente n. m.;
délai moyen d'attente n. m.
Dans le cas des installations à utilisation partagée, temps moyen pendant lequel les utilisateurs attendent pour avoir accès au système et qui est fonction de l'utilisation totale de la voie et de la durée moyenne de chaque communication.
□ mode d'exploitation; téléinformatique

B

34. *background processing;*
backgrounding
traitement non prioritaire n. m.;
traitement de fond n. m.
Forme de traitement en usage en multiprogrammation pour les programmes d'arrière-plan qui n'ont pas un accès prioritaire aux ressources du système.
Note. — S'oppose à *traitement prioritaire.*
□ mode d'exploitation

35. *background program*
programme d'arrière-plan n. m.;
programme non prioritaire n. m.;
programme de fond n. m.
Programme de priorité la plus basse qui s'exécute lorsque le processeur est disponible dans un environnement de multiprogrammation.
Note. — S'oppose à *programme d'avant-plan.*
□ mode d'exploitation

36. *backgrounding*
Syn. de *background processing*

37. *basic software*
Syn. de *system software*

38. *batch*
lot n. m.
Ensemble de données destinées à être traitées en différé.
□ mode d'exploitation

39. *batch processing;*
off-line processing
traitement en différé n. m.;
traitement différé n. m.;
traitement par lots n. m.;
traitement en temps différé n. m.;
traitement groupé n. m.;
traitement hors ligne n. m.
Termes à éviter: train de travaux;
traitement par trains;
travail en temps réservé
Mode de traitement dans lequel les travaux sont regroupés, soumis séquentiellement à l'ordinateur et exécutés sans intervention de l'utilisateur.
□ mode d'exploitation

40. *benchmark;*
benchmark test;
performance test
banc d'essai n. m.
V. o. **banc d'essais** n. m.;
test de performance n. m.;
test d'évaluation des performances n. m.
Ensemble de programmes et de fichiers conçu pour évaluer les performances d'un ordinateur dans une configuration déterminée.
Note. — Ne pas confondre le banc d'essai avec le jeu d'essai qui a pour but de vérifier le bon fonctionnement d'un programme.
V. a. **évaluation des performances** (367)
□ logiciel d'application

41. *benchmark test*
Syn. de *benchmark*

42. *binary chop*
Syn. de *binary search*

43. *binary loader*
chargeur binaire n. m.
Programme de chargement utilisé pour les programmes écrits en langage machine.
□ système d'exploitation

44. *binary search;*
binary chop;
dichotomizing search
V. o. *dichotomising search;*
binary searching
recherche binaire n. f.;
recherche dichotomique n. f.;
recherche par dichotomie n. f.
Type de recherche effectuée sur un tableau ordonné où l'ensemble est partagé, de façon répétitive, en deux sous-ensembles pour n'en retenir qu'un; le sous-ensemble choisi est lui-même partagé en deux et ainsi de suite jusqu'à obtenir un seul élément qui est l'élément cherché s'il existe.
□ logiciel

45. *binary searching*
Syn. de *binary search*

46. *boot*
Syn. de *bootstrap*

47. *boot, to*
Syn. de *bootstrap, to*

48. *boot-strap*
V. o. de *bootstrap*

49. *bootstrap*
V. o. *boot-strap;*
bootstrap loader;
boot;
bootstrap routine
amorce n. f.;
programme d'amorçage n. m.
Terme à éviter: chausse-pied
Programme câblé ou microprogrammé qui permet l'initialisation d'un ordinateur.
V. a. **programme de chargement initial** (201)
□ programme d'exploitation

50. *bootstrap, to;*
initialize, to;
boot, to
amorcer v.;
initialiser v.
Charger le noyau du système d'exploitation en mémoire centrale afin de permettre l'exécution de programmes de traitement.
Note. — À l'origine, les termes *amorcer* et *initialiser* désignaient deux étapes différentes du chargement du système d'exploitation qui tendent maintenant à se confondre.
□ programme d'exploitation

51. *bootstrap loader*
Syn. de *bootstrap*

52. *bootstrap routine*
Syn. de *bootstrap*

53. *bulletin board*
Syn. de *electronic bulletin board*

C

54. *calling program;*
calling routine
programme appelant n. m.;
programme d'appel n. m.
Programme faisant appel à d'autres programmes, sous-programmes, procédures ou boucles au cours de son exécution.
□ logiciel

55. *calling routine*
Syn. de *calling program*

56. *canned software*
Syn. de *software package*

57. *capability*
fonctionnalités n. f. pl.
Possibilités de traitement qui existent sur un terminal, un système autonome ou dans un système d'exploitation.
□ logiciel

58. *CAT*
Syn. de *directory*

59. *catalog*
Syn. de *directory*

60. *catalogue*
Syn. de *directory*

61. *chaining*
chaînage n. m.
Méthode d'implantation en mémoire de fichiers ou de listes de données selon laquelle chaque élément de la liste ou chaque article du fichier contient l'adresse de son successeur.
□ programme d'exploitation

62. *channel program*
programme canal n. m.
Programme formé d'une suite de commandes destinées à être interprétées et exécutées par une unité d'échange (canal).
Note. — Terme spécifique aux ordinateurs de grande puissance.
☐ système d'exploitation

63. *check;*
checking
contrôle n. m.
Ensemble d'opérations programmées ou effectuées automatiquement et permettant la vérification partielle ou complète du bon fonctionnement du système d'exploitation, du matériel et des programmes d'application.

64. *check point*
V. o. *checkpoint;*
check-point
point de contrôle n. m.
Point d'un programme où s'effectue, lors de son exécution, une halte automatique consacrée à l'écriture, sur un support externe, du contenu de la mémoire principale et des registres ainsi que de l'état des mémoires externes, afin de permettre, en cas d'arrêt ou d'incident ultérieurs, la reprise du traitement à partir du dernier point de contrôle.
☐ mode d'exploitation

65. *check-point*
V. o. de *check point*

66. *checking*
Syn. de *check*

67. *checking program;*
checking routine
programme de contrôle n. m.
Programme permettant de valider les données déjà introduites dans l'ordinateur en vérifiant l'information par rapport à des normes, des données permanentes, des tables.
☐ programme d'exploitation

68. *checking routine*
Syn. de *checking program*

69. *checkpoint*
V. o. de *check point*

70. *CIL*
Abrév. de *core image library*

71. *cold restart*
Syn. de *cold start*

72. *cold start;*
cold restart
démarrage à froid n. m.;
redémarrage à froid n. m.;
reprise totale n. f.;
reprise à froid n. f.
Lancement d'une activité de traitement en initialisant l'ensemble des processus devant servir au fonctionnement.
☐ logiciel

73. *command*
commande n. f.
Signal qui, reçu et décodé par un système, déclenche de la part de celui-ci la réalisation d'une fonction déterminée.
☐ logiciel

74. *command chaining*
chaînage de commandes n. m.
Méthode permettant d'exécuter, à l'aide d'une seule instruction et de plusieurs commandes, des opérations successives concernant la même unité d'entrée-sortie.
☐ mode d'exploitation

75. *command-driven*
piloté par commande loc.
V. o. **piloté par commandes** loc.;
à base de commande loc.
V. o. **à base de commandes** loc.
Dont les différentes fonctions ou sous-programmes sont accessibles au moyen de commandes pré-programmées sous forme de noms de code que l'utilisateur appelle en les transcrivant sur le clavier de l'ordinateur.
☐ logiciel

76. *command language*
Syn. de *job control language*

77. *communications package*
progiciel de communication n. m.
Progiciel fournissant un protocole de communication pour permettre la transmission de données à l'intérieur d'un réseau ou pour relier entre eux des ordinateurs et des périphériques.
☐ logiciel d'application; téléinformatique

78. *compatibility*
compatibilité n. f.
Propriété d'un logiciel conforme aux règles d'interface d'un système informatique donné

et dont l'introduction n'altère pas les conditions de fonctionnement de ce système.

Note. — Ce terme s'applique aussi au matériel informatique.

V. a. **transférabilité** (369)
□ logiciel

79. *compatible*
compatible adj.

Se dit d'un logiciel qui est conforme aux règles d'interface d'un système informatique donné et dont l'introduction n'altère pas les conditions de fonctionnement de ce système.

Note. — Ce terme s'applique aussi au matériel informatique.
□ logiciel

80. *compiler;*
compiler program;
compiling program
compilateur n. m.;
programme de compilation n. m.

Programme résidant dans l'ordinateur et qui transforme un programme écrit en langage évolué en un programme prêt à être exécuté.
□ langage de programmation; programme d'exploitation

81. *compiler program*
Syn. de *compiler*

82. *compiling program*
Syn. de *compiler*

83. *computer gaming software*
Syn. de *gameware*

84. *concurrent;*
simultaneous
concurrent adj.;
simultané adj.;
concourant adj.

Qualifie un traitement qui est mené de front avec d'autres, en partageant avec eux en alternance l'utilisation de certaines ressources communes.

Note. — On peut considérer les termes *concurrent et simultané* comme étant synonymes, bien que, du point de vue linguistique, le premier terme ait un sens plus général que le second.
□ mode d'exploitation

85. *concurrent processing;*
simultaneous processing
traitement concurrent n. m.;
traitement simultané n. m.;
traitement concourant n. m.

Exécution de plusieurs tâches par un même ordinateur, en apparence simultanément mais en réalité en alternance, dans le but d'accélérer le traitement des données.
□ mode d'exploitation

86. *configuration*
configuration n. f.

Disposition des éléments d'un système informatique qui précise les caractéristiques et les fonctions des organes périphériques et centraux, ainsi que leurs interconnexions, et qui donne aussi les caractéristiques principales du système d'exploitation adapté à l'ensemble du système de traitement de l'information.
□ logiciel; matériel

87. *configure, to*
configurer v.

Adapter un logiciel à un ensemble matériel spécifique ou aux besoins d'un usager spécifique.
□ logiciel; matériel

88. *conflict*
Syn. de *contention*

89. *contention;*
conflict
conflit n. m.;
conflit d'utilisation n. m.;
conflit de priorité n. m.;
contention n. f.;
encombrement n. m.;
engorgement n. m.

État de deux ou plusieurs processus demandant à utiliser au même moment une ressource qui ne peut servir qu'une seule demande à la fois.
□ mode d'exploitation

90. *contents directory*
répertoire des programmes n. m.

Liste des programmes et sous-programmes contenus dans une bibliothèque système ou une bibliothèque utilisateur.
□ système d'exploitation

91. *continuous processing*
Syn. de *real-time processing*

92. *control program*
programme de contrôle n. m.

Tout programme jouant un rôle de commande ou de supervision à l'intérieur du système d'exploitation.
□ programme d'exploitation

93. *conversational mode*
Syn. de *interactive mode*

94. *core*
Syn. de *nucleus*

95. *core image library*
Abrév. *CIL*
bibliothèque image-mémoire n. f.
V. o. **bibliothèque image mémoire** n. f.
Ensemble de programmes d'un système prêts à être chargés en mémoire.
□ programme d'exploitation

96. *courseware;*
teachware;
didactic software;
educational software;
educational computer program;
educational program
didacticiel n. m.;
logiciel didactique n. m.;
logiciel d'enseignement n. m.
Terme à éviter: didacticiel pédagogique
Logiciel spécialisé dans l'enseignement d'une discipline, d'une méthode ou de certaines connaissances.
Note. — Le terme *didacticiel* est un néologisme d'origine québécoise normalisé par l'Office de la langue française.
□ logiciel d'application

97. *CRC*
Abrév. de *cyclical redundancy check*

98. *cross compiler*
V. o. de *cross-compiler*

99. *cross-compiler*
V. o. *cross compiler*
transcompilateur n. m.
Programme permettant de réaliser une application écrite pour une machine d'un type différent.
□ logiciel

100. *custom software;*
customized software
logiciel personnalisé n. m.;
application maison n. f.
Programme conçu et rédigé pour répondre aux besoins spécifiques d'un utilisateur.
□ logiciel d'application

101. *customized software*
Syn. de *custom software*

102. *cyclical redundancy check*
Abrév. *CRC*
contrôle de redondance cyclique n. m.
Abrév. **CRC**
Mode de contrôle selon lequel la valeur numérique binaire d'un bloc ou d'une trame est divisée par un diviseur constant; le quotient est alors éliminé et le reste sert de séquence de contrôle.
□ système d'exploitation

D

103. *data base*
Abrév. *DB*
V. o. database
base de données n. f.
Abrév. **BD;**
B.D.
Ensemble structuré de données pouvant intervenir dans différentes applications.
Note. — On confond parfois la base de données et la banque de données. Cette dernière est un ensemble d'informations relatif à un domaine défini des connaissances et organisé pour être accessible par plusieurs utilisateurs.
□ base de données

104. *data base management*
gestion de base de données n. f.
Ensemble des techniques qui permettent la collecte, le stockage, la mise à jour et la consultation des informations d'une base de données.
□ logiciel d'application

105. *data base management system*
Abrév. *DBMS*
système de gestion de base de données n. m.
Abrév. **SGBD;**
S.G.B.D.;
système de gestion de bases de données n. m.;
système de gestion des bases de données n. m.
Système logiciel ayant pour fonction d'assurer la gestion automatique d'une base de données dans le but de permettre la création, la modification, l'utilisation et la protection des données.
□ logiciel d'application

106. *data dictionary;*
data directory
dictionnaire des données n. m.;
dictionnaire de données n. m.;
répertoire de données n. m.;
répertoire des données n. m.

Fichier contenant la description des champs, des fichiers et des relations d'une base de données.

Note. — Le terme *dictionnaire des données* est souvent employé pour désigner le programme qui gère le dictionnaire des données.

□ logiciel d'application

107. *data directory*
Syn. de *data dictionary*

108. *database*
V. o. de *data base*

109. *DB*
Abrév. de *data base*

110. *DBMS*
Abrév. de *data base management system*

111. *deadlock;*
deadly embrace;
knot
étreinte fatale n. f.;
impasse n. f.;
étreinte mortelle n. f.

Phénomène qui se produit lorsque deux ou plusieurs tâches tentent d'avoir accès à une même ressource du système en même temps, provoquant ainsi un blocage complet du système.

□ mode d'exploitation

112. *deadly embrace*
Syn. de *deadlock*

113. *decision support system*
Abrév. *DSS;*
D.S.S.
V. o. *decision-support system;*
management support system
logiciel d'aide à la décision n. m.;
système interactif d'aide à la décision n. m.
Abrév. **SIAD;**
S.I.A.D.;
système informatique d'aide à la décision n. m.;
système d'aide à la décision n. m.
Abrév. **SAD**

Logiciel spécialisé visant à assister l'utilisateur dans la résolution de problèmes mal ou peu structurés, en vue d'une prise de décision en temps limité et mettant en œuvre des modèles informatisés (simulation, programmation linéaire, statistiques, etc.).

□ logiciel d'application

114. *decision-support system*
V. o. de *decision support system*

115. *default mode*
mode standard n. m.;
mode implicite n. m.;
mode par défaut n. m.

Mode spécial de déroulement du programme en l'absence de spécification de paramètres optionnels de la part de l'utilisateur.

□ mode d'exploitation

116. *development*
développement n. m.;
élaboration n. f.

Conception, réalisation et mise au point d'un programme.

□ logiciel; programmation

117. *development system*
système de développement n. m.;
système d'aide au développement n. m.

Ensemble matériel et logiciel servant à la conception, à la réalisation et à la mise au point des logiciels.

□ système d'exploitation

118. *diagnose program*
Syn. de *diagnostic program*

119. *diagnostic program;*
diagnostic routine;
diagnose program
programme de diagnostic n. m.
Termes à éviter: routine de détection d'erreurs;
routine de diagnostic

Programme ou ensemble de programmes conçu pour déceler le mauvais fonctionnement d'un ordinateur ou les erreurs d'un programme.

□ programme d'exploitation

120. *diagnostic routine*
Syn. de *diagnostic program*

121. *dichotomising search*
Syn. de *binary search*

122. *dichotomizing search*
Syn. de *binary search*

123. *didactic software*
Syn. de *courseware*

124. *DIR*
Abrév. de *directory*

125. *direct access;*
immediate access
accès direct n. m.;
accès sélectif n. m.
Termes à éviter: accès aléatoire;
accès immédiat
Mode d'accès à l'information en mémoire par lequel un ensemble de données est obtenu directement au moyen de son adresse.
Note. — S'oppose à *accès séquentiel*.
□ mode d'exploitation

126. *directory*
Abrév. *DIR;*
catalog (US)
V. o *catalogue* (GB)
Abrév. *CAT;*
repertoire;
repertory
répertoire n. m.
Abrév. **REP**
Liste d'objets (fichiers, éléments ou programmes) et d'utilisateurs inscrits et traités dans un système, arrangés dans un ordre qui en facilite la localisation.
□ logiciel; support d'information

127. *disk operating system*
Abrév. *DOS*
système d'exploitation à disques n. m.;
DOS n. m.;
système d'exploitation pour disques n. m.
Système d'exploitation dont les modules sont stockés sur disques ou sur disquettes.
Note. — Le terme *système d'exploitation à disques* est d'usage moins courant que l'abréviation anglaise DOS, prononcée «dosse».
□ système d'exploitation

128. *dispatcher;*
task dispatcher
répartiteur n. m.;
distributeur n. m.;
distributeur de tâches n. m.
Programme du système d'exploitation, ou toute autre unité fonctionnelle, dont l'objet est d'allouer du temps de processeur aux travaux ou tâches prêts à être exécutés.
V. a. **programmateur de travaux** (250)
□ système d'exploitation

129. *documentation*
documentation n. f.
Ensemble des documents fournis avec un logiciel (ou un matériel informatique) pour en décrire le fonctionnement et en permettre l'exploitation adéquate.
□ logiciel

130. *DOS*
Abrév. de *disk operating system*

131. *DSS*
Abrév. de *decision support system*

132. *D.S.S.*
Abrév. de *decision support system*

133. *dump routine;*
dumper
programme de vidage n. m.;
programme d'image-mémoire n. m.
Termes à éviter: programme de vidange;
vidange
Programme de service qui sert à enregistrer sur un support le contenu partiel ou total d'une mémoire occupée par un programme, à un moment donné de son déroulement, en vue d'une recherche d'erreur ou d'un contrôle.
□ programme d'exploitation

134. *dumper*
Syn. de *dump routine*

135. *dynamic device allocation*
attribution dynamique des périphériques n. f.;
allocation dynamique des périphériques n. f.
Répartition des périphériques assurée par le système d'exploitation pour décharger l'opérateur de l'appariement des fichiers et des périphériques.
□ mode d'exploitation; programme d'exploitation

136. *dynamic memory allocation*
Syn. de *dynamic storage allocation*

137. *dynamic relocation*
translation dynamique n. f.

Déplacement d'un programme chargeable en mémoire centrale alors que son exécution a déjà commencé, sans qu'aucune modification ne soit introduite dans les instructions du programme.
□ mode d'exploitation

138. *dynamic resource allocation*
attribution dynamique des ressources n. f.;
allocation dynamique des ressources n. f.
Répartition de la mémoire et du temps d'utilisation des organes de commande et de calcul entre les différents programmes en cours d'exécution en vue d'optimiser le rendement global de l'ordinateur.
□ mode d'exploitation; système d'exploitation

139. *dynamic storage allocation;*
dynamic memory allocation
attribution dynamique de la mémoire n. f.;
allocation dynamique de la mémoire n. f.;
allocation dynamique de mémoire n. f.;
affectation dynamique de la mémoire n. f.
Attribution des zones d'une mémoire centrale à des programmes en vue de leur exécution.
□ système d'exploitation

E

140. *edit program*
Syn. de *editor*

141. *editor;*
text editor;
edit program;
text editing program
éditeur n. m.;
programme d'édition n. m.;
éditeur de texte n. m.
Programme de service permettant l'écriture, la maintenance, la correction, l'archivage des programmes rédigés en différents langages de programmation, la création d'une documentation et la saisie générale des données pouvant être traitées automatiquement.
V. a. **logiciel de traitement de textes** (572)
□ programme d'exploitation

142. *educational computer program*
Syn. de *courseware*

143. *educational program*
Syn. de *courseware*

144. *educational software*
Syn. de *courseware*

145. *electronic bulletin board;*
bulletin board
babillard électronique n. m.;
panneau d'affichage électronique n. m.
Logiciel qui permet l'affichage de messages publics ou personnels sur un écran cathodique, à l'intérieur d'un réseau d'utilisateurs.
□ application de l'ordinateur; logiciel d'application

146. *electronic spread sheet*
Syn. de *spreadsheet*

147. *electronic spreadsheet*
Syn. de *spreadsheet*

148. *emulate, to*
émuler v.
Utiliser un ordinateur avec des données ou des instructions préparées pour un ordinateur de type différent, nécessitant généralement un logiciel spécial pour simuler l'ordinateur original.
□ logiciel

149. *emulation*
émulation n. f.
Technique consistant à simuler efficacement le fonctionnement d'un ordinateur sur un autre, généralement plus puissant.
□ logiciel

150. *emulator*
émulateur n. m.
Dispositif programmé, câblé ou microprogrammé qui permet de réaliser les fonctions d'un ordinateur de type différent et généralement plus ancien, permettant ainsi d'utiliser sans adaptation sur l'ordinateur récent des programmes déjà écrits pour l'ordinateur précédent.
Note. — L'émulateur est le plus souvent considéré comme faisant partie du matériel plutôt que du logiciel.
V. a. **simulateur** (464)
□ logiciel

151. *engine of inference*
Syn. de *inference program*

152. *error message*
message d'erreur n. m.
Tout message produit par un logiciel pour signaler à un utilisateur qu'il y a une erreur ou qu'un programme est exécuté anormalement.
☐ logiciel

153. *executable program*
Syn. de *operational program*

154. *execute, to*
Syn. de *run, to*

155. *execution;*
program execution;
run
exécution n. f.
Interprétation, par l'unité centrale d'un ordinateur, des instructions d'un programme en langage machine chargé en mémoire principale.
☐ logiciel

156. *executive*
Syn. de *supervisor*

157. *executive program*
Syn. de *supervisor*

158. *executive routine*
Syn. de *supervisor*

159. *expert system;*
knowledge system
système expert n. m.
V. o. **système-expert** n. m.
Ensemble de logiciels ayant recours à une base de connaissances explicites relatives à un domaine particulier, celui de l'expertise, pour en déduire des conclusions par raisonnement logique.
☐ logiciel d'application

F

160. *facility*
Syn. de function

161. *fail soft*
V. o. de *failsoft*

162. *failsoft*
V. o. *fail soft*
mode dégradé n. m.;
fonctionnement en dégradé n. m.
Mode de fonctionnement d'un ordinateur dans lequel le système effectue automatiquement une reconfiguration à la suite d'un incident grave, évitant ainsi l'arrêt de l'exploitation et permettant l'utilisation optimale des ressources disponibles; l'exécution des travaux qui ne peuvent être différés est assurée, ainsi que la sauvegarde des données nécessaires à la reprise ultérieure de ceux qui doivent être arrêtés.
☐ mode d'exploitation; sécurité

163. *field*
champ n. m.;
zone n. f.
Emplacement réservé à l'enregistrement de données de même nature.
☐ logiciel

164. *file handler*
Syn. de *file manager*

165. *file management*
gestion de fichiers n. f.
Ensemble des tâches qui permettent l'utilisation des différents fichiers d'un système informatique.
☐ programme d'exploitation

166. *file management system*
Syn. de *file manager*

167. *file manager;*
file handler;
file management system
gestionnaire de fichiers n. m.;
programme de gestion de fichiers n. m.
Programme de service appartenant au système d'exploitation et qui permet une gestion aisée des différents fichiers en autorisant, par exemple, les noms symboliques, les attributs et en s'occupant d'allouer l'espace physique nécessaire.
☐ système d'exploitation

168. *financial modeling system*
logiciel de calcul financier n. m.
Logiciel conçu pour le traitement de données financières.
☐ logiciel d'application

169. *firmware*
microprogramme n. m.
V. o. **microprogrammes** n. m. pl.
Terme à éviter: firmware
Logiciel enregistré sous forme de montage ou de connexions figées dans un circuit

intégré, généralement une mémoire morte, non modifiable en cours de traitement.
□ logiciel; matériel

170. *flowcharter*
générateur d'organigramme n. m.;
dessinateur d'organigramme n. m.;
traceur d'organigramme n. m.
Programme qui génère, à partir des instructions d'un autre programme, un organigramme représentant le déroulement des opérations.
□ logiciel d'application

171. *foreground processing;*
foregrounding
traitement prioritaire n. m.;
traitement de front n. m.
Forme de traitement en usage en multiprogrammation pour les programmes d'avant-plan qui ont un accès prioritaire aux ressources du système.
Note. — S'oppose à *traitement non prioritaire*.
□ mode d'exploitation

172. *foreground program;*
foreground routine
programme d'avant-plan n. m.;
programme prioritaire n. m.
Programme de la plus haute priorité dans un contexte de multiprogrammation.
Note. — S'oppose à *programme d'arrière-plan*.
□ mode d'exploitation

173. *foreground routine*
Syn. de *foreground program*

174. *foregrounding*
Syn. de *foreground processing*

175. *full screen editor*
V. o. de *full-screen editor*

176. *full-screen editor*
V. o. *full screen editor*
éditeur plein écran n. m.
Programme de service qui permet à un utilisateur de travailler sur un écran complet et non sur un affichage ligne par ligne.
□ programme d'exploitation

177. *function;*
facility
fonction n. f.
Toute tâche programmée d'un logiciel pouvant être exécutée par la simple pression d'une touche ou l'entrée d'une commande.
□ logiciel

G

178. *gameware;*
computer gaming software
ludiciel n. m.;
logiciel de jeu n. m.;
programme récréatif n. m.
Logiciel conçu à des fins de divertissement.
□ logiciel d'application

179. *garbage collector*
nettoyeur n. m.;
programme récupérateur n. m.;
programme récupérateur de place n. m.
Programme qui, dans un système de gestion dynamique de la mémoire centrale d'un ordinateur, est chargé de reconnaître les informations devenues caduques afin de récupérer les espaces mémoire correspondants.
□ programme d'exploitation

180. *general program*
Syn. de *general routine*

181. *general purpose operating system;*
general purpose system
système d'exploitation universel n. m.
Système d'exploitation non spécialisé utilisable sur différents types d'ordinateur.
□ système d'exploitation

182. *general purpose system*
Syn. de *general purpose operating system*

183. *general routine;*
generalized routine;
general program;
generalized program
sous-programme général n. m.
Terme à éviter: routine généralisée
Sous-programme d'une bibliothèque de programmes conçu pour répondre à une variété de besoins d'un grand nombre d'utilisateurs et faciliter ainsi le travail de programmation.
□ programme d'exploitation

184. *generalized program*
Syn. de *general routine*

185. *generalized routine*
Syn. de *general routine*

186. *generator*
Syn. de *application generator*

187. *graphic software*
graphiciel n. m.;
logiciel graphique n. m.
Logiciel permettant de générer à l'écran, sur imprimante ou sur traceur, des images, des diagrammes ou des graphiques.
Note. — On voit de plus en plus l'emploi du terme *grapheur* avec ce sens, mais il désigne avant tout un outil à l'intérieur d'un tableur qui permet de représenter des graphiques.
□ logiciel d'application

188. *graphical user interface*
Abrév. *GUI;*
graphics user interface
interface-utilisateur graphique n. f.
V. o. **interface utilisateur graphique** n. f.
Interface qui facilite l'interaction entre l'utilisateur et l'ordinateur par l'emploi de procédés graphiques.
□ logiciel d'application; matériel

189. *graphics user interface*
Syn. de *graphical user interface*

190. *GUI*
Abrév. de *graphical user interface*

H

191. *handler*
gestionnaire n. m.
Programme de service qui permet la gestion de certaines opérations à l'intérieur du système d'exploitation.
□ programme d'exploitation

192. *help facility*
fonction d'assistance n. f.;
fonction aide n. f.;
assistance n. f.;
aide n. f.
Fonction programmée d'un logiciel ayant pour but d'aider l'utilisateur dans l'exploitation du logiciel.
Note. — Bien que le terme *aide* soit très répandu dans l'usage, il serait préférable d'utiliser le terme *assistance* qui recouvre plus adéquatement la notion exprimée.
□ logiciel

193. *hog*
Syn. de *resource hog*

194. *housekeeping*
aménagement n. m.
Ensemble des opérations de gestion interne d'un ordinateur ne faisant pas partie du traitement mais contribuant au bon fonctionnement de l'ordinateur.
□ logiciel

195. *housekeeping chores*
aménagement routinier n. m.
Programmes et sous-programmes utilisés régulièrement pour veiller au bon fonctionnement de l'ordinateur.
□ logiciel

I

196. *immediate access*
Syn. de *direct access*

197. *incompatibility*
incompatibilité n. f.
Caractéristique des logiciels qui ne peuvent être substitués les uns aux autres sans modification ou qui ne peuvent être utilisés sur du matériel autre que celui pour lequel ils ont été conçus.
V. a. **non-transférabilité** (335)
□ logiciel

198. *incompatible*
incompatible adj.
Caractérise un logiciel qui ne peut être substitué à un autre sans modification ou qui ne peut être utilisé sur un matériel autre que celui pour lequel il a été conçu.
□ logiciel

199. *incomplete*
Syn. de *skeletal*

200. *inference program;*
engine of inference
moteur d'inférence n. m.;
machine d'inférence n. f.
Programme de contrôle qui permet d'effectuer des déductions logiques dans un

système expert, à partir des données entrées dans le système.
□ logiciel d'application

201. *initial program loader;*
loader
programme de chargement initial n. m.;
procédure de chargement initial n. f.
Programme permettant de charger en mémoire centrale le système d'exploitation, ou une partie de celui-ci, une fois le système amorcé.
V. a. **amorce** (49)
□ programme d'exploitation

202. *initial program loading*
Syn. de *initialization*

203. *initialization;*
initial program loading
Abrév. IPL
initialisation n. f.;
chargement initial n. m.
Ensemble des opérations de chargement du noyau du système d'exploitation en mémoire centrale afin de permettre l'exécution de programmes de traitement.
□ programme d'exploitation

204. *initialize, to*
Syn. de *bootstrap, to*

205. *input job queue*
Syn. de *input job stream*

206. *input job stream;*
input work queue;
input job queue;
input queue;
input stream;
job input stream
flot des travaux en entrée n. m.;
file d'attente des travaux en entrée n. f.;
flot d'entrée de travaux n. m.
Ensemble des travaux d'une file d'attente qui n'ont pas encore été traités par l'unité centrale.
□ programme d'exploitation

207. *input-output*
V. o. de *input/output*

208. *input/output*
Abrév. *I/O*
V. o. *input-output*
entrée-sortie n. f.
Abrév. **E/S**
V. o. **entrée/sortie** n. f.
Dispositif, système, programme ou procédure qui autorise, déclenche, organise ou commande l'échange d'information entre un ordinateur et ses périphériques.
□ programme d'exploitation

209. *input-output control system*
V. o. de *input/output control system*

210. *input/output control system*
Abrév. *IOCS;*
I.O.C.S.
V. o. *input-output control system*
système de contrôle des entrées-sorties n. m.;
système de gestion des entrées-sorties n. m.
Ensemble des programmes de contrôle du système d'exploitation conçus pour assurer la gestion des entrées et sorties des périphériques de l'ordinateur dans le but de libérer l'unité centrale de traitement et de permettre l'accroissement du rendement global du système par la mise en œuvre du maximum de ressources possibles à chaque instant.
□ système d'exploitation

211. *input-output driver*
V. o. de *input/output driver*

212. *input/output driver*
V. o. *input-output driver*
pilote de périphérique n. m.;
pilote d'entrée-sortie n. m.
Logiciel spécialisé dans la commande et la synchronisation de matériel périphérique.
□ logiciel d'application

213. *input queue*
Syn. de *input job stream*

214. *input stream*
Syn. de input job stream

215. *input work queue*
Syn. de *input job stream*

216. *integrated emulator*
émulateur intégré n. m.
Émulateur faisant partie intégrante d'un système d'exploitation.
□ logiciel

217. *integrated information system;*
integrated management information system
système intégré d'information n. m.

Ensemble de logiciels présentés sous forme modulaire, susceptibles d'être incorporés à un ordinateur suivant les tâches assignées à ce dernier.
□ logiciel d'application

218. *integrated management information system*
Syn. de *integrated information system*

219. *integrated package*
Syn. de *integrated software*

220. *integrated software;*
integrated software package;
integrated package
logiciel intégré n. m.
Logiciel réunissant sur un support unique plusieurs programmes d'usage général tels que traitement de textes, tableur, graphisme, base de données, communications.
□ logiciel d'application

221. *integrated software package*
Syn. de *integrated software*

222. *interactive mode;*
conversational mode
mode interactif n. m.;
mode conversationnel n. m.;
mode dialogué n. m.
Mode de fonctionnement d'un ordinateur dans lequel s'établit un dialogue en temps réel entre l'utilisateur et le système, chaque question entraînant une réponse.
□ mode d'exploitation

223. *interactive processing*
Syn. de *real-time processing*

224. *interactive system*
système interactif n. m.
Système qui permet d'assurer les différentes phases du dialogue entre l'utilisateur et l'ordinateur ou entre le terminal et l'ordinateur lors d'un traitement en mode conversationnel.
□ logiciel

225. *interlock;*
interlocking;
latching
verrouillage n. m.;
interblocage n. m.
Dispositif matériel ou logiciel interdisant l'accès à une ressource pendant qu'une opération y est exécutée.
□ mode d'exploitation

226. *interlock, to*
verrouiller v.
Interdire l'accès à une ressource et subordonner l'exécution d'une phase de travail à l'achèvement d'une autre par le recours à une technique de verrouillage.
□ mode d'exploitation

227. *interlocking*
Syn. de *interlock*

228. *interpretative program*
Syn. de *interpreter*

229. *interpreter;*
interpretive program;
interpretative program;
interpretive compiler;
language interpreter;
program interpreter
interpréteur n. m.;
interprète n. m.;
programme d'interprétation n. m.;
programme interprétatif n. m.
Programme résidant en mémoire, qui traduit et exécute chacune des instructions du programme source au fur et à mesure de son déroulement.
□ langage de programmation; programme d'exploitation

230. *interpretive compiler*
Syn. de *interpreter*

231. *interpretive program*
Syn. de *interpreter*

232. *interrupt;*
interrupt signal;
trap
interruption n. f.;
interruption de programme n. f.;
signal d'interruption n. m.
Procédé d'appel prioritaire permettant d'interrompre un programme en cours d'exécution généralement au profit d'un autre programme du système d'exploitation.
□ matériel; système d'exploitation

233. *interrupt-handling program;*
interrupt routine;
interrupt service program;
interrupt processing routine
sous-programme d'interruption n. m.
Sous-programme qui identifie la cause d'une interruption et y répond de façon appropriée.
□ système d'exploitation

234. *interrupt processing routine*
Syn. de *interrupt-handling program*

235. *interrupt routine*
Syn. de *interrupt-handling program*

236. *interrupt service program*
Syn. de *interrupt-handling program*

237. *interrupt signal*
Syn. de *interrupt*

238. *I/O*
Abrév. de *input/output*

239. *IOCS*
Abrév. de *input/output control system*

240. *I.O.C.S.*
Abrév. de *input/output control system*

241. *IPL*
Syn. de *initialization*

J

242. *JCL*
Abrév. de *job control language*

243. *job*
travail n. m.
Terme à éviter: job
Ensemble constitué d'un programme, de ses données et instructions d'exécution, considéré comme un tout, et soumis pour traitement à un système d'exploitation.
☐ mode d'exploitation

244. *job control language*
Abrév. *JCL;*
command language
langage de commande des travaux n. m.;
langage de commande n. m.
Langage conçu à l'intention du système d'exploitation pour désigner les travaux à exécuter et en décrire les caractéristiques et les exigences.
☐ système d'exploitation

245. *job input stream*
Syn. de *input job stream*

246. *job management*
gestion des travaux n. f.
Ensemble des fonctions gérées par un système d'exploitation qui concourent à mener à bonne fin les travaux soumis à un ordinateur, en tenant compte de la priorité qui leur est attribuée et des ressources disponibles.
☐ système d'exploitation

247. *job output stream;*
output work queue;
output queue
flot de sortie des travaux n. m.;
file d'attente de sortie des travaux n. f.;
file d'attente des travaux en sortie n. f.
Ensemble des travaux traités par l'unité centrale, en attente d'un périphérique de sortie.
☐ programme d'exploitation

248. *job queue*
file d'attente des travaux n. f.;
file de travaux n. f.
Suite ordonnée des travaux à exécuter en fonction des priorités qui leur sont attribuées.
☐ programme d'exploitation

249. *job schedule*
Syn. de *job scheduler*

250. *job scheduler;*
scheduler;
job schedule
programmateur de travaux n. m.;
programmateur n. m.;
planificateur n. m.;
ordonnanceur n. m.
Programme de service faisant partie du moniteur et chargé de choisir dans la file d'attente des travaux le prochain travail à exécuter en fonction de divers critères de priorité et des ressources disponibles à l'instant donné.
V. a. **répartiteur** (128)
☐ programme d'exploitation

251. *job stack*
Syn. de *job stream*

252. *job stream;*
job stack
flot de travaux n. m.;
file de travaux n. f.
Ensemble des travaux d'une file d'attente.
☐ programme d'exploitation

K

253. *kernel*
Syn. de *nucleus*

254. *knot*
Syn. de *deadlock*

255. *knowledge base*
base de connaissances n. f.
Somme des connaissances d'un ou plusieurs experts qui constituent la base d'un système expert et à partir desquelles le moteur d'inférence peut effectuer des déductions logiques et tirer des conclusions.
□ logiciel d'application

256. *knowledge system*
Syn. de *expert system*

L

257. *language interpreter*
Syn. de *interpreter*

258. *language processor;*
processor
processeur n. m.;
processeur de langage n. m.
Tout programme qui assure des tâches de traitement de langage pour transformer un programme source en programme objet.
□ programme d'exploitation

259. *latching*
Syn. de *interlock*

260. *latency;*
latency time;
waiting time
temps d'attente n. m.;
délai d'attente n. m.
Intervalle entre l'instant où une unité de commande déclenche un appel de données et celui du début du transfert effectif de ces données.
□ système d'exploitation

261. *latency time*
Syn. de *latency*

262. *LIBR*
Abrév. de *library*

263. *librarian*
bibliothécaire n. m.;
programme bibliothécaire n. m.
Programme de service qui gère la bibliothèque de programmes et de sous-programmes.
□ programme d'exploitation

264. *library*
Abrév. LIBR;
program library;
routine library
bibliothèque de programmes n. f.;
bibliothèque n. f.;
programmathèque n. f.
Ensemble de procédures ou de programmes précompilés mis à la disposition des programmeurs.
□ programme d'exploitation

265. *library program;*
library routine
programme de bibliothèque n. m.;
programme en bibliothèque n. m.
Terme à éviter: routine de bibliothèque
Programme de service contenu dans une bibliothèque de programmes accessible à tous les utilisateurs d'un système informatique.
□ programme d'exploitation

266. *library routine*
Syn. de *library program*

267. *licensed program*
logiciel sous licence n. m.
Logiciel dont l'usage est restreint à un utilisateur ou à un groupe d'utilisateurs qui en ont acquitté les droits d'utilisation.
□ logiciel

268. *line editor program*
éditeur ligne n. m.;
éditeur de texte ligne n. m.;
éditeur par ligne n. m.
Programme de service qui permet d'effectuer l'édition d'un fichier ligne par ligne.
□ logiciel d'application

269. *link editor*
Syn. de *linkage editor*

270. *link library*
bibliothèque de liaison n. f.
Bibliothèque de programmes objets utilisables par l'éditeur de liens.
□ programme d'exploitation

271. *linkage editor;*
link editor;
linker
éditeur de liens n. m.
V. o. **éditeur de lien** n. m.
Programme de service qui rassemble en un programme exécutable ses différents

modules ou sous-programmes constitutifs en établissant entre ceux-ci des liens qui satisfont leurs références mutuelles.
□ programme d'exploitation

272. *linkage loader*
Syn. de *linking loader*

273. *linker*
Syn. de *linkage editor*

274. *linking loader;*
linkage loader
chargeur-éditeur de liens n. m.
Programme de chargement qui regroupe les différents segments d'un programme en un tout cohérent et l'amène en mémoire, en ajustant les références entre les segments en fonction de leur nouvel emplacement en mémoire.
□ système d'exploitation

275. load, to
charger v.
Amener un programme en mémoire centrale par l'intermédiaire d'une procédure du système d'exploitation et le rendre prêt à être exécuté.
□ logiciel

276. *load and go*
V. o. *load-and-go*
chargement-lancement n. m.;
chargement et exécution n. m.;
chargement-exécution n. m.
Mode d'exploitation dans lequel le chargement et l'exécution d'un programme s'enchaînent automatiquement.
□ logiciel

277. *load-and-go*
V. o. de *load and go*

278. *load and go, to*
charger et lancer loc.
Amener un programme en mémoire centrale par l'intermédiaire d'une procédure du système d'exploitation et en déclencher l'exécution immédiate.
□ logiciel

279. *load module*
module de chargement n. m.;
module chargeable n. m.
Partie d'un programme immédiatement chargeable et exécutable.
□ système d'exploitation

280. *load sharing*
répartition de la charge de traitement n. f.;
travail réparti n. m.;
travail partagé n. m.
Technique selon laquelle l'ensemble de la charge de travail est réparti entre plusieurs ordinateurs.
□ mode d'exploitation

281. *loader*
Syn. de *initial program loader*

282. *loader*
chargeur n. m.;
programme de chargement n. m.
Programme qui amène en mémoire principale un programme ou un segment de programme, en remplaçant les adresses translatables et au besoin les adresses relatives par des adresses absolues, et lance son exécution.
□ système d'exploitation

283. *loading*
chargement n. m.
Opération qui amène un programme en mémoire centrale et le rend prêt à être exécuté.
□ logiciel

284. *log-in*
Syn. de *log-on*

285. *log-off;*
logging-off;
sign-off
fermeture de session n. f.;
procédure de fin de traitement n. f.;
sortie du système n. f.;
fin de session n. f.;
fin de connexion n. f.
Opération par laquelle l'utilisateur d'un terminal en temps partagé met fin à une séance de travail, libérant ainsi les ressources qui lui avaient été attribuées.
□ mode d'exploitation

286. *log-on;*
log-in;
logging-on;
logging on;
logging-in;
sign-on;
sign-in
ouverture de session n. f.;
procédure d'entrée en communication n. f.;
prise de contact n. f.;

prise de contact avec le système n. f.;
début de session n. m.;
demande de connexion n. f.

Opération par laquelle l'utilisateur d'un terminal en temps partagé doit s'identifier auprès du système pour y avoir accès.
☐ mode d'exploitation

287. *logging-in*
Syn. de *log-on*

288. *logging-off*
Syn. de *log-off*

289. *logging on*
Syn. de *log-on*

290. *logging-on*
Syn. de *log-on*

M

291. *macro generator*
V. o. de *macrogenerator*

292. *macro-generator*
V. o. de *macrogenerator*

293. *macrogenerator*
V. o. *macro-generator;*
macro generator
macrogénérateur n. m.
V. o. **macro-générateur** n. m.;
programme macro-générateur n. m.

Programme de service destiné à transformer un programme source en remplaçant chaque macro-instruction par une suite prédéterminée d'instructions en langage machine.
☐ programme d'exploitation

294. *main program*
programme principal n. m.

Programme qui régit le fonctionnement de l'ordinateur ou des différentes parties d'un programme.
☐ logiciel

295. *management information system*
Abrév. *MIS;*
M.I.S.
système intégré de gestion n. m.
Abrév. **SIG;**
S.I.G.;
système d'information de gestion n. m.

Ensemble de moyens logiciels et matériels ayant pour but de fournir les informations nécessaires à l'exploitation et à la gestion d'une entreprise ainsi qu'à la prise de décision.
☐ logiciel d'application

296. *management support system*
Syn. de *decision support system*

297. *masked state*
V. o. *masqued state*
état masqué n. m.

État d'un ordinateur dans lequel le programme en cours d'exécution ne peut être interrompu que par les demandes d'interruptions autorisées par le masque d'interruption.
☐ système d'exploitation

298. *masqued state*
V. o. de *masked state*

299. *master mode;*
system mode;
supervisor mode;
monitor mode
mode système n. m.;
mode superviseur n. m.;
mode moniteur n. m.;
mode maître n. m.;
mode directeur n. m.;
mode de supervision n. m.

Mode de fonctionnement dans lequel un ordinateur peut exécuter toute instruction y compris les instructions privilégiées et a accès aux parties protégées de la mémoire moyennant l'utilisation de clés.

Note. — S'oppose à *mode utilisateur.*
☐ mode d'exploitation

300. *mathematical check*
Syn. de *arithmetic check*

301. *mathematical software*
logiciel mathématique n. m.

Logiciel conçu pour résoudre des problèmes spécifiques au domaine des mathématiques.
☐ logiciel d'application

302. *memory management*
gestion de la mémoire n. f.

Fonction d'un système d'exploitation qui consiste, dans un environnement de multiprogrammation, à partager les ressources de mémoire pour en allouer des parties satisfaisant le mieux possible aux différentes demandes.
☐ système d'exploitation

303. *memory protection*
protection mémoire n. f.;
protection de mémoire n. f.;
protection de la mémoire n. f.
Procédé matériel ou logiciel permettant d'éviter qu'un programme en cours d'exécution n'aille perturber les informations se trouvant dans une zone de mémoire appartenant à un autre programme, lorsque plusieurs programmes sont présents dans la mémoire au même moment.
□ programme d'exploitation; sécurité

304. *memory swapping;*
roll-out/roll-in;
swapping
permutation n. f.;
échange n. m.
Technique de base en temps partagé qui consiste à permuter le contenu d'une zone de mémoire centrale et d'une zone de mémoire auxiliaire afin de libérer un espace en mémoire centrale nécessaire à la continuation d'une autre phase de traitement.
□ système d'exploitation

305. *menu-based*
Syn. de *menu-driven*

306. *menu-based system*
Syn. de *menu-driven system*

307. *menu-driven;*
menu-based;
menu-oriented
piloté par menu loc.
V. o. **piloté par menus** loc.;
à base de menu loc.
V. o. **à base de menus** loc.;
commandé par menu loc.;
à menu loc.
Dont les commandes ou options sont offertes au choix d'un utilisateur, sous forme de liste, lors d'un travail en mode interactif.
□ logiciel

308. *menu-driven system;*
menu-based system;
menu-oriented system
système à menus n. m.;
système piloté par menus n. m.;
système à base de menus n. m.
Logiciel d'exploitation ou d'application fonctionnant selon la technique des menus.
□ logiciel

309. *menu-oriented*
Syn. de *menu-driven*

310. *menu-oriented system*
Syn. de *menu-driven system*

311. *merge program*
programme de fusion n. m.
Programme ayant pour but de réunir en un seul fichier des articles de plusieurs fichiers.
□ logiciel d'application

312. *microprogram*
microprogramme n. m.
Programme formé de micro-instructions qui composent une instruction ou une suite d'instructions et qui en permettent l'exécution.
□ programme d'exploitation

313. *MIS*
Abrév. de *management information system*

314. *M.I.S.*
Abrév. de *management information system*

315. *missing page interruption*
Syn. de *page fault*

316. *mode*
mode n. m.
Méthode d'exploitation relative à la configuration d'un système.
□ mode d'exploitation

317. *modelling*
modélisation n. f.
Analyse et représentation simplifiées d'un phénomène ou d'un système en vue d'étudier son déroulement ou son fonctionnement par simulation.
□ logiciel d'application

318. *modular*
modulaire adj.
Qui se compose de modules pouvant être traités ou modifiés individuellement.
□ logiciel

319. *modularity*
modularité n. f.
Caractéristique d'un logiciel qui se compose de modules pouvant être traités ou modifiés individuellement.
□ logiciel

320. *module*
module n. m.
Sous-ensemble d'un programme destiné à réaliser un ensemble de fonctions précises.
Note. — Le terme *module* s'applique également à du matériel.
□ logiciel

321. *monitor;*
monitor program;
monitoring program
moniteur n. m.;
programme moniteur n. m.;
moniteur d'enchaînement n. m.
Programme qui assure l'enchaînement des travaux soumis à l'ordinateur, en supervise l'exécution et voit à l'utilisation rationnelle et efficace des ressources.
Note. — Il arrive souvent que l'on confonde le superviseur et le moniteur; le moniteur est une partie du superviseur.
□ programme d'exploitation

322. *monitor mode*
Syn. de *master mode*

323. *monitor program*
Syn. de *monitor*

324. *monitoring program*
Syn. de *monitor*

325. *monoprogramming*
monoprogrammation n. f.
Mode d'exploitation d'un ordinateur dans lequel un seul programme est exécuté à la fois dans la mémoire principale et mené à terme avant que l'exécution d'un autre programme ne soit entreprise.
Note. — Utilisée sur les ordinateurs de deuxième génération, elle est ainsi nommée par opposition à *multiprogrammation.*
□ mode d'exploitation; programmation

326. *multi-processing*
V. o. de *multiprocessing*

327. *multi-user resource;*
shared resource
ressource partageable n. f.;
ressources partagées n. f. pl.;
ressource commune n. f.;
ressources communes n. f. pl.
Ressource pouvant être utilisée simultanément par plusieurs tâches.
□ système d'exploitation

328. *multi-user system*
système multi-utilisateur n. m.
V. o. **système multi-utilisateurs** n. m.
Système d'exploitation destiné à gérer simultanément l'exécution de plusieurs tâches dans un environnement de multiprogrammation.
□ système d'exploitation

329. *multiple programming*
Syn. de *multiprogramming*

330. *multiprocessing*
V. o. *multi-processing*
multitraitement n. m.
Mode d'exploitation dans lequel plusieurs processeurs d'un même système informatique peuvent exécuter simultanément plusieurs programmes.
□ mode d'exploitation

331. *multiprogramming;*
multiple programming
multiprogrammation n. f.
Mode d'exploitation d'un ordinateur dans lequel un seul processeur peut mener de front l'exécution de plusieurs programmes, soit en simultanéité avec des entrées-sorties, soit en alternance.
□ mode d'exploitation

332. *multitasking*
mode multitâche n. m.
Mode d'exploitation dans lequel plusieurs tâches d'un même travail sont exécutées simultanément dans la mesure où elles ne font pas appel aux mêmes ressources.
□ mode d'exploitation

N

333. *native mode*
mode naturel n. m.
Terme à éviter: mode natif
Mode de fonctionnement conforme à la conception originelle d'un matériel.
□ mode d'exploitation

334. *naturally relocatable program*
Syn. de *relocatable program*

335. *non-portability*
non-transférabilité n. f.;
non-portabilité n. f.

Caractéristique d'un logiciel ne pouvant être utilisé sur des systèmes informatiques de types différents.

Note. — S'applique également au matériel.
V. a. **incompatibilité** (197)
□ logiciel

336. *non resident program*
Syn. de *transient program*

337. *nucleus;*
kernel;
core;
operating system kernel;
system kernel
noyau n. m.

Généralement, partie du système d'exploitation ou du superviseur qui doit demeurer en permanence en mémoire principale pour assurer le déroulement de l'exploitation, notamment pour appeler aux moments opportuns les autres segments de ce programme.
□ système d'exploitation

O

338. *object program;*
target program
programme objet n. m.
V. o. **programme-objet** n. m.;
programme résultant n. m.

Programme obtenu par la traduction du langage d'un programme source en un langage machine exécutable par l'ordinateur.
□ logiciel; programmation

339. *off-line processing*
Syn. de *batch processing*

340. *operating system*
Abrév. *OS*
système d'exploitation n. m.
Abrév. **SE;**
logiciel d'exploitation n. m.

Logiciel de base d'un ordinateur destiné à commander l'exécution des programmes en assurant la gestion des travaux, les opérations d'entrée-sortie sur les périphériques, l'affectation des ressources aux différents processus, l'accès aux bibliothèques de programmes et aux fichiers ainsi que la comptabilité des travaux.
□ système d'exploitation

341. *operating system kernel*
Syn. de *nucleus*

342. *operational program;*
executable program;
runnable program
programme exécutable n. m.

Programme pouvant être lancé et exécuté tel quel.
□ logiciel

343. *optimise, to*
V. o. de optimize, to

344. *optimising compiler*
Syn. de *optimizer*

345. *optimize, to*
V. o. *optimise, to*
optimiser v.

Rédiger ou modifier un programme de façon à obtenir un temps de traitement minimal.
□ logiciel

346. *optimizer;*
optimising compiler
optimiseur n. m.

Progiciel destiné à modifier l'ordonnancement et la nature des instructions d'un programme de façon à améliorer ses performances, sans modifier les résultats.
□ logiciel d'application; outil de programmation

347. *OS*
Abrév. de *operating system*

348. *output program*
Syn. de *report generator*

349. *output queue*
Syn. de *job output stream*

350. *output routine*
Syn. de *report generator*

351. *output work queue*
Syn. de *job output stream*

352. *overhead*
Syn. de *system overhead*

353. *overlap;*
overlap processing;
overlapped processing;
overlapping
chevauchement n. m.;
simultanéité n. f.

Toute technique ou dispositif permettant d'effectuer le traitement de plusieurs instructions en même temps, dans un même ordinateur, de façon que la durée totale du traitement soit plus courte que la somme des durées de chacun d'eux.
□ mode d'exploitation

354. *overlap processing*
Syn. de *overlap*

355. *overlapped processing*
Syn. de *overlap*

356. *overlapping*
Syn. de *overlap*

P

357. *package*
Syn. de *software package*

358. *page fault;*
missing page interruption
défaut de page n. m.;
interruption par besoin de page n. f.;
interruption pour besoin de page n. f.
Terme à éviter: besoin de page
Événement qui se produit lors du premier appel à une information contenue dans une page qui n'existe pas en mémoire centrale, ce qui a pour effet de provoquer un arrêt provisoire du traitement en cours.
□ système d'exploitation

359. *paging*
Syn. de *paging system*

360. *paging system;*
paging
système de pagination n. m.;
pagination n. f.
Système de gestion des échanges entre deux niveaux de mémoire, l'un «virtuel», contenant l'espace adressable d'informations (mémoire secondaire), l'autre «réel», directement adressable (mémoire principale); il assure principalement l'allocation dynamique des mémoires par pages entières, le choix des pages à maintenir en mémoire réelle pour minimiser le nombre de transferts de pages avec la mémoire auxiliaire servant à stocker le contenu de la mémoire virtuelle.
□ système d'exploitation

361. *parallel*
en parallèle loc.;
parallèle adj.
Mode d'acheminement des données dans lequel l'information circule sur plusieurs lignes à la fois.
Note. — S'oppose à *en série*.
□ mode d'exploitation

362. *parallel processing*
traitement en parallèle n. m.;
traitement parallèle n. m.
Exécution de plusieurs tâches, au même moment, sur un ordinateur à plusieurs processeurs ou sur plusieurs ordinateurs.
□ mode d'exploitation

363. *parameter*
paramètre n. m.
Variable dont la valeur, l'adresse ou le nom ne seront précisés qu'à l'exécution.
□ logiciel; rédaction de programme

364. *parameterize, to*
V. o. de *parametrize, to*

365. *parametrize, to*
V. o. *parameterize, to*
paramétrer v.
Fixer la valeur de certains paramètres d'un logiciel prévu à cet effet.
□ logiciel; rédaction de programme

366. *partition*
partition n. f.
Partie d'une mémoire centrale affectée au traitement d'un programme ou de programmes de même type (par exemple: entrées-sorties; interrogation de fichiers; traitement par lots) lors d'une exécution en multiprogrammation.
□ mode d'exploitation

367. *performance evaluation*
évaluation des performances n. f.;
analyse des performances n. f.
Méthode ayant pour but d'évaluer les performances d'un ordinateur en simulant les conditions d'exploitation réelles à l'aide de programmes échantillons.
Note. — Le terme *évaluation des performances* n'est pas synonyme de *banc d'essai*; le banc d'essai est l'un des moyens utilisés pour évaluer les performances d'un ordinateur.
V. a. **banc d'essai** (40)
□ logiciel d'application

368. *performance test*
Syn. de *benchmark*

369. *portability*
transférabilité n. f.;
portabilité n. f.;
transportabilité n. f.

Aptitude d'un programme à être utilisé sur des systèmes informatiques de types différents sans qu'il soit nécessaire de le réécrire.

Note. — L'emploi du terme *transférabilité* est plus juste que celui du terme *portabilité* ou *transportabilité* puisqu'en réalité on transfère le contenu d'un programme d'un système informatique à un autre plutôt qu'on ne le porte ou le transporte.

V. a. **compatibilité** (78)
□ logiciel

370. *portable;*
transferable
transférable adj.;
portable adj.;
transportable adj.

Qualifie un programme qui peut être utilisé sur des systèmes de types différents sans qu'il soit nécessaire de le réécrire.
□ logiciel

371. *printout queuing*
mise en file d'attente de l'impression n. f.

Opération qui consiste à mettre en file d'attente pour impression ultérieure, selon la disponibilité des ressources et les priorités d'impression, les travaux prêts à être imprimés.
□ mode d'exploitation

372. *priority*
priorité n. f.

Rang attribué à une tâche et qui détermine sa préséance dans l'attribution ou l'utilisation d'une ressource lorsque celle-ci est partagée entre plusieurs programmes.
□ mode d'exploitation

373. *private library*
bibliothèque utilisateur n. f.;
bibliothèque privée n. f.

Bibliothèque de programmes dont l'usage est réservé à certains utilisateurs d'un système informatique.
□ programme d'exploitation

374. *privileged instruction*
instruction privilégiée n. f.

Type d'instruction généralement destiné à permettre le traitement des entrées-sorties, qui ne peut être exécuté qu'en mode système et qui est majoritairement réservé au système d'exploitation pour qu'il puisse assurer un bon contrôle des opérations de gestion des périphériques et la protection des données dans les systèmes multi-utilisateurs.
□ système d'exploitation

375. *problem mode*
Syn. de *slave mode*

376. *PROC*
Abrév. de *processor*

377. *procedure*
procédure n. f.

Ensemble logique d'instructions dans certains langages de programmation (LOGO, PASCAL, etc.).
□ logiciel

378. *process*
Syn. de *task*

379. *processing*
traitement n. m.

Ensemble des opérations mathématiques et logiques effectuées sur des informations, selon une procédure établie.
□ traitement des données

380. *processor*
Syn. de *language processor*

381. *processor*
Abrév. *PROC*
processeur n. m.

Unité centrale d'un ordinateur comprenant les organes de commande et de calcul arithmétique et logique.
□ matériel

382. *program*
V. o. *programme (GB);*
routine
programme n. m.

Ensemble ordonné d'instructions codées dans un langage donné et décrivant les étapes menant à la solution d'un problème (algorithme). Introduit dans l'ordinateur, il est exécuté et fournit, à partir des données, la solution du problème posé.
□ logiciel

383. *program check;*
programmed control;
programmed check;
routine check
contrôle programmé n. m.
Vérifications et tests effectués par le système d'exploitation en vue d'assurer la protection des données et de contrôler l'accès aux fichiers.
☐ sécurité; système d'exploitation

384. *program execution*
Syn. de *execution*

385. *program interpreter*
Syn. de *interpreter*

386. *program library*
Syn. de *library*

387. *program mode*
Syn. de *slave mode*

388. *programme*
V. o. de *program*

389. *programmed check*
Syn. de *program check*

390. *programmed control*
Syn. de *program check*

Q

391. *queue;*
waiting line
file d'attente n. f.
Suite ordonnée d'événements associés à plusieurs processus.
☐ programme d'exploitation

392. *queue handler;*
queue manager
gestionnaire de file d'attente n. m.
V. o. **gestionnaire de files d'attente** n. m.
Composant du programme de contrôle du système d'exploitation qui gère la file d'attente des travaux en entrée et celle des travaux en sortie et présente au préparateur l'étape suivante à exécuter.
☐ programme d'exploitation

393. *queue manager*
Syn. de *queue handler*

394. *queueing time*
V. o. de *queuing time*

395. *queuing*
mise en file d'attente n. f.
Opération qui consiste à mettre plusieurs éléments en attente de traitement en un point quelconque du système.
☐ mode d'exploitation

396. *queuing time*
V. o. *queueing time*
temps d'attente n. m.;
délai d'attente n. m.
Temps passé dans une file d'attente (en parlant d'un utilisateur, de travaux, d'une requête, etc.).
☐ système d'exploitation; téléinformatique

R

397. *real time*
temps réel n. m.
Temps effectif de la durée d'une opération quand un ordinateur traite les demandes des utilisateurs au fur et à mesure de leur entrée dans le système.
☐ mode d'exploitation

398. *real time control*
V. o. de *real-time control*

399. *real-time control*
V. o. *real time control;*
realtime control
commande en temps réel n. f.
Principe de fonctionnement selon lequel un ordinateur élabore directement les informations nécessaires à la bonne marche d'un système économique, chimique, administratif, etc., en fonction des événements qui lui sont signalés.
☐ mode d'exploitation

400. *real time operating system*
Abrév. *RTOS*
système d'exploitation en temps réel n. m.;
système d'exploitation temps réel n. m.
Système d'exploitation capable de gérer les tâches en temps réel: gestion d'événements, d'interruptions et mise à jour des compteurs.
☐ système d'exploitation

401. *real-time processing; continuous processing; interactive processing*
traitement en temps réel n. m.;
traitement en direct n. m.;
traitement interactif n. m.;
traitement en ligne n. m.
Mode de traitement dans lequel le temps de réponse entre l'entrée des données et l'émission des résultats est réduit au minimum imposé par la complexité du travail à exécuter.
□ mode d'exploitation

402. *realtime control*
V. o. de *real-time control*

403. *reasonableness check*
contrôle de vraisemblance n. m.
Mode de détection des erreurs de transmission qui permet de vérifier qu'une donnée reçue par un ordinateur ou qu'un résultat ne contiennent pas d'éléments absurdes ou qu'ils sont conformes aux règles qui les régissent.
□ système d'exploitation

404. *recovery point*
Syn. de *restart point*

405. *reenterable program*
Syn. de *reentrant program*

406. *reentrant code*
Syn. de *reentrant program*

407. *reentrant program; reenterable program; reentrant routine; reentrant code*
programme réentrant n. m.
V. o. **programme rentrant** n. m.
Programme qui est utilisable simultanément par des tâches différentes et qui ne se modifie généralement pas au cours de son exécution.
□ logiciel

408. *reentrant routine*
Syn. de *reentrant program*

409. *release*
révision n. f.;
émission n. f.
Édition d'un logiciel mis à la disposition des utilisateurs, comprenant les corrections et améliorations mineures apportées à la version la plus récente.
V. a. **version** (559)
□ logiciel

410. *relocatable*
translatable adj.;
relocalisable adj.
Terme à éviter: relogeable
Qualifie un programme en mesure d'occuper différentes places en mémoire centrale au moment de son chargement et de son exécution.
Note. — Le terme *translatable*, couramment employé dans le jargon technique, est formé à partir du néologisme *translation*.
□ logiciel

411. *relocatable code*
Syn. de *relocatable program*

412. *relocatable library*
bibliothèque translatable n. f.
Bibliothèque de programmes et de sous-programmes qui peuvent être déplacés à l'intérieur de la mémoire principale d'un ordinateur sans entraîner d'effets négatifs sur l'exploitation du système.
V. a. **translatable** (410)
□ programmation; système d'exploitation

413. *relocatable program; naturally relocatable program; relocatable code*
programme translatable n. m.;
programme translatable par nature n. m.;
programme relocalisable n. m.
Programme présenté sous une forme telle qu'il puisse être exécuté dans des régions de mémoire différentes.
V. a. **translatable** (410)
□ logiciel

414. *relocate, to*
translater v.
Déplacer en mémoire un programme d'ordinateur ou une partie de programme en modifiant, si nécessaire, les références aux adresses de sorte que le programme puisse être exécuté à son nouvel emplacement.
V. a. **translatable** (410)
□ mode d'exploitation

415. *remote access*
accès à distance n. m.
Utilisation d'un ordinateur et des périphériques qui lui sont connectés à partir d'un

terminal placé dans un endroit éloigné et relié à l'ordinateur central par une ligne (télégraphique, téléphonique ou spécialement adaptée).
□ mode d'exploitation; téléinformatique

416. *remote batch processing*
télétraitement par lots n. m.;
traitement différé à distance n. m.;
traitement par lots à distance n. m.
Forme de traitement qui consiste à soumettre des travaux à distance pour un traitement en différé sur un système informatique central.
□ mode d'exploitation

417. *repertoire*
Syn. de *directory*

418. *repertory*
Syn. de *directory*

419. *report generator;*
report writer;
output routine;
output program;
report program
générateur d'état n. m.
Termes à éviter: éditeur;
générateur de rapport
Programme qui constitue et prépare automatiquement un état imprimé à partir d'un ou plusieurs fichiers d'entrée.
□ logiciel d'application

420. *report program*
Syn. de *report generator*

421. *report writer*
Syn. de *report generator;*

422. *rerun point*
Syn. de *restart point*

423. *rerun-point*
Syn. de *restart point*

424. *rerun routine*
Syn. de *restart routine*

425. *rescue point*
Syn. de *restart point*

426. *resident*
Syn. de *resident program*

427. *resident program;*
resident
programme résident n. m.;
résident n. m.
V. o. résidant n. m.
Programme conservé en permanence en mémoire centrale.
□ programme d'exploitation

428. *resource*
ressource n. f.
Entité nécessaire à l'exécution d'un programme.
□ matériel; système d'exploitation

429. *resource hog;*
hog
logiciel glouton n. m.;
glouton n. m.
Logiciel dont l'exploitation nécessite une grande quantité de mémoire centrale ou auxiliaire, par exemple, ou de temps d'ordinateur.
□ logiciel

430. *response time*
temps de réponse n. m.;
délai de réponse n. m.
Temps mis par un dispositif pour réagir à une demande ou à une incitation.
□ système d'exploitation

431. *restart point*
V. o. *restart-point;*
rerun point
V. o. *rerun-point;*
recovery point;
rescue point
point de reprise n. m.
Point d'un programme en cours d'exécution où les informations pertinentes sont dûment archivées pour permettre de reprendre éventuellement le traitement à partir de cet endroit, en cas d'incident ultérieur de l'ordinateur ou d'erreur de manipulation.
□ mode d'exploitation

432. *restart-point*
V. o. de *restart point*

433. *restart routine;*
rerun routine
programme de reprise n. m.
Programme conçu pour relancer l'exploitation d'un programme à partir de données stockées au moment du dernier point de contrôle précédant l'interruption.
□ mode d'exploitation

434. *reusable program*
programme réutilisable n. m.
Programme que l'on peut charger une seule fois et qui, après exécution, se remet dans son état initial afin d'autoriser une nouvelle exécution.
□ logiciel

435. *roll-out/roll-in*
Syn. de *memory swapping*

436. *routine*
Syn. de *program*

437. *routine*
Syn. de *subroutine*

438. *routine check*
Syn. de *program check*

439. *routine library*
Syn. de *library*

440. *RTOS*
Abrév. de *real time operating system*

441. *run*
Syn. de *execution*

442. *run, to;*
execute, to
exécuter v.
Effectuer les opérations spécifiées par un programme, un sous-programme, une instruction.
□ logiciel

443. *run command*
commande d'exécution n. f.
Commande signifiée au logiciel d'exploitation par un utilisateur afin de procéder au lancement et à l'exécution d'un programme.
□ logiciel

444. *runnable program*
Syn. de *operational program*

S

445. *schedule, to*
ordonnancer v.
Déterminer l'ordre d'exécution des tâches et la distribution des ressources nécessaires à leur déroulement.
□ système d'exploitation

446. *scheduler*
Syn. de *job scheduler*

447. *scientific software*
logiciel scientifique n. m.
Terme à éviter: programme scientifique
Logiciel développé pour résoudre des problèmes de nature scientifique à partir d'algorithmes mathématiques.
□ logiciel d'application

448. *search*
recherche n. f.
Opération menée en vue d'identifier un élément déterminé dans une structure de données pour ensuite procéder à sa récupération.
□ logiciel

449. *search capability*
fonction recherche n. f.
Opération qui permet de rechercher automatiquement un caractère, un mot ou une chaîne de caractères.
□ logiciel d'application; traitement des données

450. *sequential access;*
serial access
accès séquentiel n. m.
Terme à éviter: accès sériel
Mode d'accès à l'information en mémoire selon lequel les données sont rangées sur leur support ou en sont extraites dans l'ordre où elles se présentent.
□ mode d'exploitation

451. *sequential processing;*
serial processing
traitement séquentiel n. m.;
traitement en série n. m.;
traitement série n. m.;
traitement à la suite n. m.
Terme à éviter: traitement en ligne
Mode de traitement dans lequel les opérations sont exécutées l'une après l'autre sans sélection, regroupement ou tri préalable.
□ mode d'exploitation

452. *serial*
en série loc.
Mode d'acheminement des données dans lequel l'information circule séquentiellement sur une ligne à la fois.

Note. — S'oppose à *en parallèle*. La tendance veut que les termes *en série* et *en parallèle* s'appliquent surtout au matériel, alors que les termes *séquentiel* et *en direct* s'utilisent davantage en fonction du logiciel.
□ mode d'exploitation

453. *serial access*
Syn. de *sequential access*

454. *serial processing*
Syn. de *sequential processing*

455. *service program*
Syn. de *utility program*

456. *service routine*
Syn. de *utility program*

457. *shadow RAM*
mémoire fantôme n. f.
Portion de la mémoire vive dans laquelle est copié un micro-programme qui réside en permanence dans la mémoire morte d'un ordinateur.
□ logiciel; mémoire d'ordinateur

458. *shared access*
accès partagé n. m.
Technique d'exploitation d'un système informatique qui permet le partage des données entre deux ou plusieurs utilisateurs.
□ mode d'exploitation

459. *shared resource*
Syn. de *multi-user resource*

460. *sign-in*
Syn. de *log-on*

461. *sign-off*
Syn. de *log-off*

462. *sign-on*
Syn. de *log-on*

463. *simulating program*
Syn. de *simulator*

464. *simulator;*
simulator program;
simulator routine;
simulating program
simulateur n. m.;
programme de simulation n. m.
Programme qui permet d'étudier le comportement futur d'un système à partir d'un modèle mathématique approprié.
V. a. **émulateur** (150)
□ logiciel d'application

465. *simulator program*
Syn. de *simulator*

466. *simulator routine*
Syn. de *simulator*

467. *simultaneous*
Syn. de *concurrent*

468. *simultaneous processing*
Syn. de *concurrent processing*

469. *single step*
Syn. de *single-step mode*

470. *single-step mode;*
single step;
step by step
mode pas-à-pas n. m.;
pas-à-pas n. m.
V. o. **pas à pas n. m.**
Mode d'exécution d'un programme à des fins de maintenance ou de mise au point et dans lequel la machine s'arrête après chaque instruction, le passage à l'instruction suivante étant commandé par l'opérateur.
□ mode d'exploitation

471. *skeletal;*
incomplete
paramétrable adj.;
paramétrisable adj.
Se dit d'un logiciel qu'on peut adapter en fixant la valeur de certains paramètres.
□ logiciel; rédaction de programme

472. *slave mode;*
user mode;
program mode;
problem mode
mode utilisateur n. m.;
mode asservi n. m.;
mode programme n. m.;
mode esclave n. m.;
mode problème n. m.
Mode de fonctionnement dans lequel un ordinateur ne peut exécuter une instruction privilégiée et n'a pas accès aux zones de mémoire protégée.
Note. — S'oppose à *mode système*.
□ mode d'exploitation

473. *snapshot*
instantané n. m.

Copie d'une zone de mémoire et des registres du processeur central à un instant déterminé.
□ mode d'exploitation

474. *snapshot program;*
snapshot trace program
programme d'analyse sélective n. m.;
programme d'instantané n. m.
Programme d'analyse qui extrait des données pour certaines instructions ou dans certaines conditions définies au préalable.
□ outil de programmation; programme d'exploitation

475. *snapshot trace program*
Syn. de *snapshot program*

476. *software*
logiciel n. m.
Ensemble des programmes destinés à effectuer un traitement sur un ordinateur.
Notes. — 1. Ce terme s'oppose à *matériel.*
2. *Logiciel* est un générique par rapport à *progiciel.* La commercialisation du progiciel ainsi que la documentation nécessaire pour son utilisation en constituent les principales caractéristiques.
V. a. **progiciel** (478)
□ logiciel

477. *software engineering*
génie logiciel n. m.;
génie du logiciel n. m.
Ensemble des activités et des procédures relatives à la conception, à la mise en œuvre et au suivi d'un logiciel.
□ logiciel

478. *software package;*
package;
canned software
progiciel n. m.
Termes à éviter: package;
bloc de programmes;
collection de programmes;
paquet-programme
Ensemble complet et documenté de programmes conçu pour être commercialisé auprès de plusieurs utilisateurs en vue d'une même application ou d'une même fonction.
Note. — Forme abrégée de *programme logiciel.*
V. a. **programme d'application** (21); **logiciel** (476)
□ logiciel d'application

479. *sort*
Syn. de *sorting*

480. *sort program*
Syn. de *sorting program*

481. *sort routine*
Syn. de *sorting program*

482. *sort utility*
Syn. de *sorting program*

483. *sorting;*
sort
tri n. m.
Opération ayant pour but le classement de données ou de fichiers selon un ordre déterminé, à partir d'un indicatif attaché à chaque donnée ou à chaque fichier.
□ mode d'exploitation

484. *sorting program;*
sort program;
sort routine;
sort utility
programme de tri n. m.
Terme à éviter: utilitaire de tri
Programme inclus dans les programmes de service d'une bibliothèque système ou d'un compilateur, et qui peut être adapté à la forme particulière d'un tri à exécuter pendant un traitement.
□ programme d'exploitation

485. *source program*
programme source n. m.
V. o. **programme-source** n. m.;
programme d'origine n. m.;
source n. m.
Programme rédigé dans un langage de programmation devant être transformé en langage machine avant de pouvoir être exécuté par l'ordinateur.
□ logiciel; programmation

486. *source statement library*
Abrév. *SSL*
bibliothèque-langage source n. f.;
bibliothèque-langage d'origine n. f.
V. o. **bibliothèque langage d'origine** n. f.
Bibliothèque de programmes rédigés dans un langage de programmation donné et n'ayant pas encore été traduits dans un langage directement exécutable par l'ordinateur.
□ logiciel

487. *specific program*
Syn. de *application program*

488. *specific routine*
Syn. de *application program*

489. *spool*
Syn. de *spooling*

490. *spooling;*
spool
spoule n. m.;
désynchronisation des entrées-sorties n. f.;
multiconversion n. f.;
opérations périphériques multiprogrammées n. f. pl.;
périphérique multiprogrammé n. m.;
traitement différé en entrée/sortie n. m.
Mode d'exploitation d'un ordinateur en multiprogrammation selon lequel les opérations d'entrée et de sortie sont automatiquement dissociées des traitements intermédiaires, les données correspondantes étant placées dans des mémoires tampons.
Note. — *Spoule* est un terme proposé par la Commission de terminologie de l'informatique (France) et d'usage obligatoire par les organismes publics français.
□ mode d'exploitation

491. *spreadsheet;*
electronic spreadsheet
V. o. *electronic spread sheet;*
spreadsheet program
tableur n. m.;
tableur électronique n. m.;
feuille de calcul électronique n. f.;
gestionnaire de tableaux n. m.
Termes à éviter: chiffrier;
chiffrier électronique;
calc
Progiciel qui permet de concevoir et de réaliser des tableaux contenant du texte, des données numériques et des formules de calcul.
Note. — Au Québec, *tableur* doit être utilisé de préférence à *chiffrier*, terme emprunté à la terminologie comptable québécoise et peu approprié en informatique.
□ logiciel d'application

492. *spreadsheet program*
Syn. de *spreadsheet*

493. *SSL*
Abrév. de *source statement library*

494. *stand-alone processing*
traitement autonome n. m.
Traitement exécuté par une unité ou un ordinateur périphérique non connecté à une unité ou à un ordinateur central.
□ mode d'exploitation

495. *state*
Syn. de *status*

496. *status;*
state
état n. m.
Terme à éviter: statut
Ensemble des informations caractérisant un logiciel ou un matériel à un moment donné.

497. *step by step*
Syn. de *single-step mode*

498. *sub-routine*
V. o. de *subroutine*

499. *sub-system*
V. o. de *subsystem*

500. *subprogram*
Syn. de *subroutine*

501. *subroutine*
V. o. *sub-routine;*
subprogram;
routine
sous-programme n. m.
Terme à éviter: routine
Suite ordonnée d'instructions exécutable à partir de n'importe quel point d'un programme, distincte du programme principal qui l'appelle ou l'active.
□ logiciel

502. *subsystem*
V. o. *sub-system*
sous-système n. m.
Ensemble de programmes qui permettent une utilisation particulière d'un ordinateur sous le contrôle du système d'exploitation.
□ programmation; système d'exploitation

503. *supervisor;*
supervisory program;
supervisory routine;
executive program;
executive routine;
executive
superviseur n. m.;
programme superviseur n. m.
Terme à éviter: routine de contrôle

Programme résident du système d'exploitation chargé de gérer et de superviser l'enchaînement et la gestion des tâches en optimisant l'emploi des ressources disponibles.

Note. — Chez certains constructeurs cette notion recouvre, en tout ou en partie, celle de moniteur.

□ programme d'exploitation

504. *supervisor mode*
Syn. de *master mode*

505. *supervisor state*
état superviseur n. m.
V. o. **état-superviseur** n. m.

État d'un ordinateur dans lequel le programme en cours d'exécution peut exécuter des instructions privilégiées réservées au superviseur.

□ système d'exploitation

506. *supervisory program*
Syn. de *supervisor*

507. *supervisory routine*
Syn. de *supervisor*

508. *swapping*
Syn. de *memory swapping*

509. *synchronous mode*
mode synchrone n. m.

Mode de fonctionnement d'un ordinateur ou de l'un de ses organes, dans lequel le début de toute opération, et souvent le rythme de son déroulement, sont déterminés par des signaux régulièrement espacés dans le temps et commandés par horloge.

□ mode d'exploitation

510. *SYSGEN*
Abrév. de *system generation*

511. *sysgen*
Abrév. de *system generation*

512. *system*
système n. m.

Ensemble de méthodes, de procédures, de programmes organisés pour un traitement de l'information.

Note. — Il est abusif d'employer le terme *système* au sens de « logiciel » ou de « progiciel ».

□ logiciel

513. *system generation*
Abrév. *SYSGEN;*
sysgen
génération de système n. f.

Construction d'un système d'exploitation répondant à une configuration donnée, en vue d'une utilisation donnée, à partir du système d'exploitation général d'un type d'ordinateur.

□ système d'exploitation

514. *system generator*
générateur de système n. m.

Programme qui permet de produire un système d'exploitation particulier à partir du système d'exploitation général d'un type d'ordinateur, de la description de la configuration de l'ordinateur utilisé et du mode d'exploitation envisagé.

□ système d'exploitation

515. *system kernel*
Syn. de *nucleus*

516. *system library*
bibliothèque système n. f.;
bibliothèque publique n. f.

Bibliothèque dont les programmes sont accessibles à tous les utilisateurs d'un même système informatique.

Note. — S'oppose à *bibliothèque utilisateur.*

□ programme d'exploitation

517. *system mode*
Syn. de *master mode*

518. *system overhead;*
overhead
temps-système n. m.
V. o. **temps système** n. m.;
déperdition n. f.

Pourcentage de temps utilisé par le système d'exploitation pour assurer la gestion interne de l'ordinateur inhérente à l'exécution des tâches soumises par les utilisateurs: gestion des entrées-sorties, mise en place et supervision des travaux et, parfois, opérations de sauvegarde et contrôle des informations.

□ système d'exploitation

519. *system software;*
systems software;
basic software
logiciel de base n. m.
Terme à éviter: programme-système

Ensemble des programmes destinés à faciliter l'exploitation d'un ordinateur; en font partie: le système d'exploitation, les langages généraux, les programmes de gestion et les programmes de service.
☐ système d'exploitation

520. *systems software*
Syn. de *system software*

T

521. *target program*
Syn. de *object program*

522. *task;*
process
tâche n. f.
Élément de programme implanté en mémoire et formant un tout pour le système d'exploitation qui en connaît l'emplacement et les conditions d'exécution.
☐ mode d'exploitation

523. *task dispatcher*
Syn. de *dispatcher*

524. *teachware*
Syn. de *courseware*

525. *teleprocessing*
télétraitement n. m.
Mode de traitement de l'information dans lequel l'entrée des données et la sortie des résultats se font sur des terminaux distants de l'ordinateur par l'intermédiaire d'une ligne à transmission de données.
☐ mode d'exploitation; téléinformatique

526. *terminator*
programme finisseur n. m.;
finisseur n. m.;
programme de terminaison n. m.
Programme faisant partie du moniteur et ayant pour rôle, à la fin de l'exécution d'un programme d'application, de fermer tous les fichiers, d'initialiser les sorties, d'effectuer un vidage de mémoire s'il le faut, de libérer les ressources attribuées à ce travail et d'effacer des tables du système d'exploitation toute référence à ce travail.
☐ programme d'exploitation

527. *test program*
Syn. de *test routine*

528. *test routine;*
test program
programme de test n. m.
Terme à éviter: routine d'essai
Programme permettant de vérifier le bon fonctionnement d'un ordinateur et de détecter ses défaillances.
☐ logiciel d'application

529. *text editing program*
Syn. de *editor*

530. *text editor*
Syn. de *editor*

531. *thrashing*
écroulement n. m.
Phénomène qui affecte un système d'exploitation multi-utilisateur, lorsque le nombre de processus dépasse un certain seuil; les temps de réponse, s'allongeant graduellement avec l'augmentation de la charge, augmentent brusquement dans une proportion très grande.
Note. — L'anglais ne semble pas faire de distinction entre les termes *emballement* et *écroulement* qui se traduisent tous deux par *thrashing*.
V. a. **emballement** (532)
☐ système d'exploitation

532. *thrashing*
emballement n. m.
État du système caractérisé par une fréquence des échanges de programmes si élevée que ses performances s'en trouvent considérablement affectées.
Note. — Phénomène qui se produit en multiprogrammation.
V. a. **écroulement** (531)
☐ système d'exploitation

533. *time overflow*
dépassement de temps n. m.;
temporisation n. f.
Phénomène imputable à une tâche dont le temps d'exécution excède l'unité de temps qui lui a été allouée.
☐ système d'exploitation; téléinformatique

534. *time sharing*
V. o. time-sharing
temps partagé n. m.;
partage de temps n. m.
Mode d'exploitation d'un ordinateur dans lequel plusieurs utilisateurs exécutent des

travaux indépendants qui semblent s'effectuer simultanément grâce à une alternance régulière du temps d'utilisation des fonctions et des ressources du système.
□ mode d'exploitation

535. *time-sharing*
V. o. de *time sharing*

536. *time sharing system*
V. o. *time-sharing system*
système en temps partagé n. m.
Système d'exploitation qui permet à plusieurs utilisateurs d'utiliser simultanément l'ordinateur au moyen de consoles de dialogue (téléimprimeurs ou écrans de visualisation).
□ mode d'exploitation

537. *time-sharing system*
V. o. de *time sharing system*

538. *time slice*
tranche de temps n. f.
En temps partagé, tranche unitaire de temps très courte, de l'ordre de la fraction de seconde, allouée à chaque utilisateur pour occuper l'unité centrale.
□ mode d'exploitation

539. *time slicing*
attribution de temps n. f.;
allocation de temps n. f.;
découpage de temps n. m.;
découpage du temps n. m.;
découpage par tranches de temps n. m.
Technique d'exploitation selon laquelle, dans un ordinateur fonctionnant en multiprogrammation, le système d'exploitation donne à chaque tâche en attente une tranche de temps pendant laquelle cette tâche aura à sa disposition les ressources nécessaires à son exécution.
□ mode d'exploitation; programme d'exploitation

540. *trace program*
programme d'analyse n. m.;
programme de dépistage n. m.;
programme de traçage n. m.
Programme destiné à effectuer l'examen du déroulement d'un autre programme en mettant en évidence la succession des instructions qui sont exécutées et, généralement, leurs résultats.
□ outil de programmation; programme d'exploitation

541. *transferable*
Syn. de *portable*

542. *transient directory*
répertoire des sous-programmes transitoires n. m.
Terme à éviter: répertoire des routines transitoires
Liste des noms de sous-programmes qui ne résident pas en mémoire et qui peuvent être appelés à la demande dans une zone de mémoire réservée, la zone de transit.
□ système d'exploitation

543. *transient program;*
non resident program
programme non résident n. m.
Terme à éviter: programme transient
Programme qui n'est pas en mémoire centrale et qui doit être appelé pour être exécutable.
□ logiciel

544. *translater*
Syn. de *translator*

545. *translating program*
Syn. de *translator*

546. *translator;*
translating program;
translater
traducteur n. m.;
programme de traduction n. m.;
programme traducteur n. m.
Programme qui convertit les instructions d'un langage de programmation dans un autre langage généralement plus proche du langage machine.
□ langage de programmation; programme d'exploitation

547. *trap*
Syn. de *interrupt*

548. *tutorial*
tutoriel n. m.;
tuteur n. m.
Ensemble d'exercices programmés conçus pour faciliter l'apprentissage d'un logiciel.
□ application de l'ordinateur; logiciel d'application

U

549. *upgradable software*
logiciel évolutif n. m.
Logiciel auquel il est possible d'ajouter de nouvelles fonctions pour l'adapter aux besoins des utilisateurs.
□ logiciel

550. *user friendliness*
convivialité n. f.
Qualité d'un logiciel ou d'un système d'exploitation qui est facile à utiliser et à comprendre par quelqu'un qui a peu ou pas de connaissances en informatique.
□ logiciel

551. *user friendly*
V. o. *user-friendly*
convivial adj.
Caractérise un logiciel ou un système d'exploitation facile à comprendre et à utiliser par un non-informaticien.
Note. — S'applique parfois au matériel.
□ logiciel

552. *user-friendly*
V. o. de *user friendly*

553. *user interface*
interface-utilisateur n. f.
V. o. **interface utilisateur** n. f.
Ensemble des moyens mis à la disposition d'un utilisateur pour dialoguer avec un ordinateur.
□ logiciel d'application; matériel

554. *user mode*
Syn. de *slave mode*

555. *user program*
programme utilisateur n. m.
Programme rédigé par l'utilisateur d'un ordinateur en vue d'une application particulière.
V. a. **programme d'application** (21)
□ logiciel d'application

556. *utility*
Syn. de *utility program*

557. *utility program;*
utility routine;
service program;
service routine;
utility
programme de service n. m.
Termes à éviter: utilitaire;
programme utilitaire;
sous-programme utilitaire
Programme faisant généralement partie de la bibliothèque de programmes et destiné à augmenter les possibilités de base du système d'exploitation en permettant l'exécution d'opérations courantes telles que la conversion de supports de fichiers, le tri, la fusion, le diagnostic.
□ programme d'exploitation

558. *utility routine*
Syn. de *utility program*

V

559. *version*
version n. f.
Première édition d'un logiciel ou nouvelle édition comprenant des modifications majeures.
V. a. **révision** (409)
□ logiciel

560. *virtual machine;*
abstract machine
machine virtuelle n. f.;
machine abstraite n. f.
Ordinateur fictif, simulé par programmation, dans le but d'étendre les possibilités d'un ordinateur réel et pour lequel on peut rédiger des programmes.
V. a. **mémoire virtuelle** (561)
□ système d'exploitation

561. *virtual memory;*
virtual storage
mémoire virtuelle n. f.
Espace d'adressage théorique non limité aux dimensions physiques des dispositifs de stockage et obtenu au moyen de la pagination ou de la segmentation automatique et, éventuellement, par la superposition des deux.
V. a. **machine virtuelle** (560)
□ mémoire d'ordinateur; système d'exploitation

562. *virtual storage*
Syn. de *virtual memory*

W

563. *wait state;*
waiting state
état d'attente n. m.
Terme à éviter: état en attente
État dans lequel un ordinateur n'exécute aucune instruction, mais peut poursuivre, sur signal extérieur, l'exécution d'un programme donné.
□ système d'exploitation

564. *waiting line*
Syn. de *queue*

565. *waiting state*
Syn. de *wait state*

566. *waiting time*
Syn. de *latency*

567. *warm restart*
Syn. de *warm start*

568. *warm start;*
warm restart
démarrage à chaud n. m.;
redémarrage à chaud n. m.
Relance d'une activité de traitement interrompue en cours de fonctionnement, permettant de reprendre le traitement au point où s'est produite l'interruption.
□ logiciel

569. *window*
fenêtre n. f.
Portion d'écran permettant de visualiser un processus.
□ logiciel

570. *windowing*
fenêtrage n. m.
Principe d'affichages multiples et simultanés sur l'écran d'un ordinateur.
□ logiciel

571. *word processing software*
Syn. de *word processor*

572. *word processor;*
word processing software
logiciel de traitement de texte n. m.;
logiciel de traitement de textes n. m.
Terme à éviter: processeur de mots
Logiciel destiné à produire puis diffuser des documents sous la présentation définitive voulue par l'auteur, en évitant toute nouvelle transcription manuelle des éléments déjà entrés.
Note. — L'expression *traitement de texte* (*texte sans s*) est recommandée par l'Office de la langue française.
V. a. **éditeur** (141)
□ logiciel d'application

Index des termes français

A

B

C

D

E

F

G

I

J

L

M

N

O

P

R

S

T

Bibliographie

AGENCE DE COOPÉRATION CULTURELLE ET TECHNIQUE; CONFÉRENCE DES MINISTRES DE LA COMMUNICATION (3-8 févr. 1985: Le Caire). *Lexique des nouvelles technologies de la communication*, Paris, ACCT, 1985, 117 p.

AMERICAN NATIONAL STANDARDS COMMITTEE X3, INFORMATION PROCESSING SYSTEMS. *American National Dictionary for Information Processing Systems*, Washington, X3 Secretariat, Computer and Business Equipment Manufacturers Association, c1982, VI, 149 p. (Information Processing Systems Technical Report, X3/TR-1-82.)

La Banque des mots: revue semestrielle de terminologie française, Paris, Presses universitaires de France.

BELL CANADA. CENTRE DE TERMINOLOGIE ET DE DOCUMENTATION. SERVICES LINGUISTIQUES. *La bureautique intégrée: lexique (anglais-français, français-anglais). The Integrated Office: Glossary (English-French, French-English)*, Montréal, Bell Canada, 1985, 52 p.

BENAY, J. *Dictionnaire anglais-français des termes relatifs au traitement de l'information*, Paris, Bauer, 1969, 60 p.

BÉRUBÉ, Yvon. *Initiation aux ordinateurs*, Montréal, McGraw-Hill, c1980, XV, 413 p.

BLASIS, Jean-Paul de. *La bureautique: outils et applications*, Paris, Éditions d'Organisation, 1983, c1982, 263 p.

Byte, mensuel, Peterborough (New Hampshire).

CAMILLE, Claude, et Michel DEHAINE. *Harrap's French and English Data Processing Dictionary*, completely rev. and updated, Londres, Harrap, c1985, IX, 221; 194 p.

CANADA. COMITÉ DES NORMES GOUVERNEMENTALES EN INFORMATIQUE. *Electronic Data Processing Glossary (English-French, French-English). Glossaire d'informatique (anglais-français, français-anglais)*, prepared by P. Tessier and others, Ottawa, Government EDP Standard Committee, 1979, V, 222 p. (Government EDP Standard Publication, GES/NGI-12/G-1979-10-01.)

CARL, Wilhelm, et Johann J. AMKREUTZ. *Wörterbuch der Datenverarbeitung (Der Rote Amkreutz): Deutsch-Englisch-Französisch : Hardware, Software, Textverarbeitung, Datenfernübertragung, Elektronik. Dictionnaire du traitement de l'information (L'Amkreutz rouge): français-allemand-anglais*, 2e éd. rev. et corr., Cologne (Allemagne), Datakontext-Verlag, c1981, 2 vol.

CHASSÉ, Georges. *Initiation à l'informatique*, Montréal, Guérin, c1978, XI, 483 p.

CII HONEYWELL BULL. *Lexique d'informatique anglais-français*, Paris, CII Honeywell Bull, 1978, 198 p.

La Clé des mots: cahiers de terminologie, mensuel, Paris, Conseil international de la langue française.

COLLIN, Andrew. *Programming for Microprocessors*, Londres, Toronto, Newnes-Butterworths, 1979, 206 p.

COMITÉ D'ÉTUDE DES TERMES TECHNIQUES FRANÇAIS. *Termes techniques français: essai d'orientation de la terminologie*, Paris, Hermann, c1972, XXXIV, 172 p. (Actualités scientifiques et industrielles, 133.)

COMMISSION DE TERMINOLOGIE DE L'INFORMATIQUE. *Terminologie de l'informatique: notes d'information*, Paris, Commission de terminologie de l'informatique, 1981, s.p.

COMMODORE BUSINESS MACHINE. *Commodore 64: l'extraordinateur*, s.l., Commodore Business Machines, s.d., 11 p.

Computer Decisions, mensuel, Rochelle Park (New Jersey), Hayden.

Computing Now, mensuel, Toronto, Moorshead.

Creative Computing: the Magazine of Computer Applications and Software, mensuel, Morristown (New Jersey), Creative Computing.

DATAPRO RESEARCH CORPORATION. *Glossary of EDP Terms*, Dehan (New Jersey), Datapro Research, c1978, 75 p. (Datapro Research. Report, E98-100-101 to E98-100-175.)

DAVID, Daniel-Jean. *Systèmes à microprocesseurs*, Paris, Éditests, 126 p.

DELAMARRE, Gérard. *Le dictionnaire des réseaux: base de la télématique*, Paris, Informatique et gestion, c1979, 90 p.

DEVIVIER, Michel, et Corinne LÉONARD. *Dictionnaire d'informatique et techniques associées: anglais-français, français-anglais*, Paris, Technique et Documentation – Lavoisier, 280 p.

DEVIVIER, Michel, et Corinne LÉONARD. *Dictionnaire télématique*, Toulouse, Cepadues, c1989, 195 p.

Documentation du Salon Sicob (informatique), Paris, 1985.

DRIEUX, Jean-Pierre, et Alain JARLAUD. *Let's Talk D.P.: lexique d'informatique*, 6e éd., Paris, Dunod, 1985, 148 p. (Dunod informatique.)

DUBUC, Robert, et autres. *Dictionnaire anglais-français, français-anglais de l'informatique*, Montréal, Dunod, 1971, XI, 214 p.

EDMUNDS, Robert A. *The Prentice-Hall Standard Glossary of Computer Terminology*, Englewood Cliffs (New Jersey), Prentice-Hall, 1984, c1985, 489 p.

Fiches de Radio-Canada, Montréal, Radio-Canada. Service de linguistique.

FISHER, Renée. *Dictionnaire informatique*, 6e éd. rev. et augm., Paris, Eyrolles, 1990, 544 p.

FRANCE. LOIS, STATUTS, ETC. *Arrêtés du gouvernement de la République française en matière de terminologie*, compilés par Marie-Claire Mattot, révisés par Marguerite Montreuil, Québec, Office de la langue française, 1978, 254 p.

FRANCE. MINISTÈRE DE L'ÉCONOMIE ET DES FINANCES. DIRECTION DU BUDGET. SERVICE CENTRAL D'ORGANISATION ET MÉTHODE. *Terminologie de l'informatique de gestion: glossaire alphabétique, lexique anglais-français*, 6e éd., Paris, SCOM, 1981, 88 p.

FRANTERM. *Dictionnaire de la micro-informatique*, Paris, Franterm, c1984, 133 p.

FREEDMAN, Alan. *The Computer Glossary: the Complete Illustrated Desk Reference*, 4th ed., New York, Amacom, c1989, 776 p.

FRENZEL, Louis E., jr. *The Howard W. Sams Crash Course Microcomputers*, Indianapolis (Indiana), Howard W. Sams, c1980, (reprint 1983), 264 p.

Gestion: revue internationale de gestion, trimestriel, Laval (Québec), Revue internationale de gestion.

GINGUAY, Michel. *Dictionnaire anglais-français d'informatique: bureautique, télématique, micro-informatique*, 9e éd. rev. et augm., Paris, Masson, 1987, 304 p.

GINGUAY, Michel. *Dictionnaire d'informatique, bureautique, télématique: français-anglais*, 3e éd. ent. refondue et augm., Paris, Masson, 1984, 209 p.

GINGUAY, Michel, et Annette LAURET. *Dictionnaire d'informatique*, 3e éd. ref. et augm., Paris, Masson, 1987, 325 p.

GOLDSCHLAGER, L., and A. LISTER. *Computer Science: a Modern Introduction*, Toronto, Prentice-Hall International, c1982, XII, 303 p.

GREENSTEIN, Carol Horn. *Dictionary of Logical Terms and Symbols*, New York, Van Nostrand Reinhold, c1978, XIII, 188 p.

GROUPE DES COMMUNICATIONS INFORMATIQUES. *Terminologie de la téléinformatique et des domaines connexes*, Ottawa, Groupe des communications informatiques, 1977, 73 p.

GROUPE DES COMMUNICATIONS INFORMATIQUES. *Computer Communications and Telecommunications Terminology*, Ottawa, Computer Communications Group, 1977, 33 p.

Hewlett-Packard Journal, mensuel, Palo Alto (Californie), Hewlett-Packard.

HILDEBERT, Jacques. *Dictionnaire de l'anglais de l'informatique : anglais-français*, Paris, Garnier, 1985, 421 p. (Les langues pour tous.)

IBM CANADA. SERVICES LINGUISTIQUES. SECTION TERMINOLOGIQUE. *Vocabulaire de la programmatique : langages et méthodes de programmation (anglais-français, français-anglais)*, préparé par Stella Abensur, Montréal, IBM, 1985, IX, 183 p.

IBM FRANCE. *Lexique anglais-français (d'après le Data Processing Glossary)*, Paris, IBM France, s.d., 161 p.

IBM FRANCE. *Terminologie du traitement de l'information*, Paris, IBM France, 1980, pag. mult. (IBM France. Publication GCF2-0076-4.)

IEEE Software, trimestriel, Los Alamitos (Californie), IEEE Computer Society.

Informatique professionnelle, mensuel, Boulogne sur Seine, Éditions d'informatique.

Informatique Québec, mensuel, Outremont, Publicité Omniprésent.

Interface : *le bulletin d'information d'ordinateurs Irisco*, Charlesbourg (Québec), Irisco.

INTERNATIONAL MATHEMATICAL AND STATISTICAL LIBRARIES. *Problem-Solving Software Systems : for Mathematics and Statistics*, Houston (Texas), IMSL, c1985, 10 p.

INTERNATIONAL MATHEMATICAL AND STATISTICAL LIBRARIES. *Logiciels de résolution de problèmes*, Houston (Texas), IMSL, c1984, 10 p.

INTERNATIONAL MATHEMATICAL AND STATISTICAL LIBRARIES. *LP/Protan : système de résolution de problèmes de programmation linéaire*, Houston (Texas), IMSL, c1984, 8 p.

INTERNATIONAL WORD PROCESSING ASSOCIATION. *Word Processing Glossary*, rev. ed., Willow Grove, Pennsylvanie, International Word Processing Association, 1978, V, 33 p.

Key to Multiterminal Word Processor Tables, mensuel, Delran (New Jersey), Datapro Research Corporation.

LAPEDES, Daniel N., ed. *McGraw-Hill Dictionary of Scientific and Technical Terms*, 3rd ed., New York, Toronto, McGraw-Hill, c1984, 1781 p.

LE BEUX, Pierre. *Dictionnaire micro-informatique : lexiques français-anglais, anglais-français, français-allemand, allemand-français*, Paris, Sybex, c1987, 202 p.

LE GARFF, André. *Dictionnaire de l'informatique*, Paris, Presses universitaires de France, c1975, X, 570 p.

LILEN, Henri, et Pierre MORVAN. *Micro-informatique, micro-électronique : dictionnaire de définitions avec lexique anglais-français*, Culver City (Californie), Integrated Computer Systems, c1976, 352 p. (Microcomputers and Microelectronics.)

LISTER, A.M. *Fundamentals of Operating Systems,* 3rd ed., Londres, Macmillan, 1984, XIII, 161 p. (Macmillan Computer Science Series.)

MAYNARD, Jeff. *Dictionary of Data Processing*, Londres, Newnes-Butterworths, c1975, VII, 269 p.

MCMULLEN, Joseph. *Model 585 Operator's Guide*, Minneapolis, Northern Telecom, c1981. (Northern Telecom. Document no. OP58511A.)

MEADOWS, A.J., and others. *The Random House Dictionary of New Information Technology*, New York, Vintage Books, c1982, 206 p.

MEEK, C.L. *Glossary of Computing Terminology*, New York, Macmillan Information, c1972, XI, 372 p.

Le Mercurien: *bulletin d'information des utilisateurs des logiciels Mercure*, Schiltigheim (France), Interlogiciel.

MESSERLI, Paul-Albert. *Lexique de la télématique*, Paris, SCM, c1979, 264 p.

Meta: *journal des traducteurs. Translator's Journal*, trimestriel, Montréal, Presses de l'université de Montréal.

MILSANT, Jeanne. *Lexique d'informatique et de micro-informatique* (avec index alphabétique anglais-français) 2e éd., Paris, Eyrolles, 1986, c1985, VI, 169 p. Titre de la 1re éd.: Lexique d'informatique des mots et des idées.

MORVAN, Pierre, sous la direction de. *Dictionnaire de l'informatique: concepts, matériels, langages* (avec lexique anglais-français), [nouv. éd.], Paris, Larousse, c1988, 368 p.

O'BRIEN, James A. *Computers in Business Management*, rev. ed., Homewood (Illinois), Irwin, c1979, XIV, 497 p.

L'Ordinateur individuel, mensuel, Paris, Groupe Tests.

Ordinateurs et PC. Paris, Courrier Union, 1985, 90 p.

ORGANISATION DE L'AVIATION INTERNATIONALE. SECTION DE TERMINOLOGIE. DIVISION DE LA TRADUCTION. *Terminology Bulletin*, Montréal, International Civil Aviation Organization.

ORGANISATION INTERNATIONALE DE NORMALISATION. ASSOCIATION FRANÇAISE DE NORMALISATION. *Dictionary of Computer Science English-French/Dictionnaire de l'informatique français-anglais*, Genève, ISO; Paris, AFNOR, c1989, XI, 185 p.; 189 p.

ORGANISATION INTERNATIONALE DE NORMALISATION. COMITÉ TECHNIQUE ISO/TC 97. *Data Processing — Vocabulary. Section 06: Preparation and Handling of Data (English-French). Traitement de l'information — vocabulaire. Chapitre 06: préparation et maniement des données (anglais-français)*, Genève, ISO, 1974, VII, 14 p. (International Standard ISO, 2382/VI-1974, E/F.)

ORGANISATION INTERNATIONALE DE NORMALISATION. COMITÉ TECHNIQUE ISO/TC 97. *Data Processing — Vocabulary. Section 07: Digital Computer Programming (English-French). Traitement de l'information - vocabulaire. Chapitre 07: programmation des calculateurs numériques (anglais-français)*, Genève, ISO, 1977, 36 p. (International Standard ISO, 2382/VII-1977, E/F.)

ORGANISATION INTERNATIONALE DE NORMALISATION. COMITÉ TECHNIQUE ISO/TC 97. *Data Processing — Vocabulary. Section 12: Data Media, Storage and Related Equipment (English-French). Traitement de l'information — vocabulaire. Chapitre 12: supports d'information, mémoires et matériels associés (anglais-français)*, Genève, ISO, 1978, VII, 39 p. (International Standard ISO, 2382/XII-1979, E/F.)

ORGANISATION INTERNATIONALE DES TÉLÉCOMMUNICATIONS PAR SATELLITES. *Glossaire technique des télécommunications spatiales*, s.l., Intelsat, 1978, 4 vol.

POLITIS, Michel. *Techniques de la bureautique*, 2e éd. rev. et augm., Paris, Masson, 216 p.

POLY, J., et P. POULAIN. *Initiation à l'informatique: classes terminales G, cours commerciaux*, 4e éd., Paris, Dunod, c1979, VI, 218 p.

Popular Science: the What's New Magazine, mensuel, New York, Times Mirror Magazines.

QUÉBEC (GOUVERNEMENT). OFFICE DE LA LANGUE FRANÇAISE. COMMISSION DE TERMINOLOGIE. *Répertoire des avis linguistiques et terminologiques: mai 1979-septembre 1989*, 3e éd. rev. et augm., Québec, Office de la langue française, 1990, 251 p.

QUÉBEC (GOUVERNEMENT). OFFICE DE LA LANGUE FRANÇAISE. *Néologie en marche*, Québec, Éditeur officiel du Québec.

QUEMADA, Gabrielle, sous la direction de. *Dictionnaire de termes nouveaux des sciences et des techniques, Paris, Conseil international de la langue française*, Agence de coopération culturelle et technique, c1983, XIX, 605 p.

RALSTON, Anthony, and Edwin D. REILLY. *Encyclopedia of Computer Science and Engineering*, 2nd ed., New York, Van Nostrand Reinhold, c1983, XXIX, 1664 p.

Ressources informatique, mensuel, Paris, Ressources informatique.

ROSENBERG, Jerry Martin. *Dictionary of Computers, Data Processing, and Telecommunications*, New York; Toronto, Diley, c1984, XIII, 614 p.

Science et technologie, bimestriel, Montréal, Mondex.

Scientific American, mensuel, New York, Scientific American.

SHAPIRO, Arthur T. *Glossaire des termes de l'informatique*, Montréal, Société Radio-Canada. Service des méthodes, 1964, 48, 64, 59 p.

SHARP ELECTRONICS (EUROPE) GMBH. MZ-820 : *ordinateur individuel : pour les diverses applications de l'informatique personnelle, la polyvalence du MZ-820 est sans égale*, Hambourg (Allemagne), Sharp, c1984, 4 p.

SIPPL, Charles J. *Calculator Users Guide and Dictionary*, Champaign (Illinois), Matrin Publishers, c1976, 428 p.

SIPPL, Charles J. *Microcomputer Dictionary*, 2nd ed., Indianapolis (Indiana), Howard W. Sams, 1981, 606 p.

SIPPL, Charles J., and Roger J. SIPPL. *Computer Dictionary*, 3rd ed., Indianapolis (Indiana), Howard W. Sams, c1984, 624 p.

Software : Practice & Experience, mensuel, Sussex (Angleterre), John Wiley & Sons.

Techniques de l'ingénieur, Paris, Techniques de l'ingénieur, série H.

TÉZÉNAS DU MONTCEL, Henri. *Dictionnaire des sciences de la gestion*, France, Mame, c1972, 331 p.

L'Usine nouvelle, mensuel, Paris, Usine Publications.

VALENSI, Serge. *Lexique usuel d'informatique avec index alphabétique anglais-français*, Neuilly-sur-Seine, Mena Press, 1976, 63 p.

Zéro-un informatique, mensuel, Paris, Éditions Tests.